血流がすべて解決する

漢方薬剤師
堀江昭佳
Akiyoshi Horie

Blood Flow Solves All

サンマーク出版

はじめに

この本は、**「血流を増やして、心と体のすべての悩みを解決する方法」**を書いた本です。

血流で、すべての悩みが解決する？

血流がいいと健康なのはわかるけど、心と体の悩みは別物だよ。
そう思われるのも無理はありません。
でも、ちょっと考えてみてください。

体調が悪いと、いつもより気分が滅入る。

肩こりや頭痛がひどいとき、ネガティブなことばかり想像してしまう。

生理前に、イライラして感情が抑えられない。


逆に、朝すっきりと目覚めると、なんだか明るい気持ちで一日が始まる。

運動をしたあと、スカーッと爽快感《そうかいかん》を得られる。

おいしいものを食べたあと、満たされたような幸せな気持ちになる。


実は、これらは心と体が結びつき、血流が影響している証拠なのです。

あなたにこんな経験が一つでもあるのなら、そして、あなたが今何か一つでも解決したい不調があるのなら、血流をよくすることは、必ずその役に立ちます。

心と体のすべての悩みの原因は、血流にあるのです。


この本でお伝えする血流改善法は、ただの健康法ではありません。体の不調の改善はもちろん、心の悩みも解決していきます。

それは血流が、全身の六十兆個ある細胞すべてに酸素や栄養を届けているだけでなく、脳やホルモンを通じ心の活動をも支えているからです。

原因が一つだから、血流を改善するだけで、あらゆる悩みを一挙に解決することができる。そう思うと、なんだかわくわくしてきませんか？


こんにちは。

漢方薬剤師、堀江昭佳です。

ぼくは、出雲《いずも》大社の門前で大正時代から続く老舗《しにせ》漢方薬局の四代目で、婦人科系の分野を専門としています。

地元はもとより、東京、大阪、沖縄など全国から、ときには海外の方まで相談にお越しになります。ぼくの薬局では、この十年間で、五万件ものさまざまな相談を受けてきました。

生理痛、子宮内膜症、不妊症といった婦人科系の病気はもちろん、がんやうつを解決したい、きれいになりたい、ダイエットしたい……。

漢方では、病気や症状などから体質を判断して、一人ひとりの方に合わせた対応を決めていきます。数百種類の生薬や漢方の組み合わせの中から処方をしていくのです。
ぼくの薬局では、初回の相談で約二時間、そして継続して定期的に三十分程度かけて、お悩みや体質の改善状況をうかがいます。

十年間で相談五万件と先述しましたが、それは、少しだけお話しした人数などではありません。一人ひとりの方の状況を詳しく聞き、体質や症状の変化を追って、積み上げてきた経験の数なのです。

そして、その経験を踏まえたうえで、ぼくは、血流をよくすることで、心と体の悩みは一挙に解決できると断言します。

血流をよくするというと、「血液サラサラ」を思い浮かべる方が多いかもしれません。しかし、血流が悪い女性の多くは、ドロドロしていて流れないのではなく、血不足のために、流れが悪いのです。そのために、いくらがんばってサラサラにしたり、温める努力をしたりしても、血の量そのものが足りないので血が流れず、血流改善の効果を実感できません。とても残念なことになっているのです。

めざすべきは、「血液サラサラ」ではなく「血流たっぷり」だったのです。

この血不足の状態を漢方では、「血虚」といいます。実際、ぼくが相談の現場でみてきた女性の九割以上が、この血虚状態にありました。

「自分に自信がもて、休職していた仕事に復帰することができました」
「不妊治療をいくらしてもダメだったのに、妊娠することができました」
「体重が減ったら、彼氏ができて結婚できました」
「いつもイライラしていたのに、穏やかになって、子どもを怒鳴ったりしなくなりました」
「何をしても三日坊主だったのが、続けられるようになりました」

こんな声がぼくのお客様からはたくさん寄せられます。なぜ血流を増やすと、病気や症状がよくなるだけではなく、心の状態もよい方向に進んでいくのでしょう？

重要なのは、「血の質」が影響しているということです。詳しくは後からお話ししますが、漢方でいう「血」とは血液だけでなく、血液中の栄養やホルモンなどをも含む概念です。

つまり、**血を増やすというのは、血の質をよくするという意味もあったのです。**セロトニン、ドーパミンといった、幸せホルモンややる気ホルモンと呼ばれる脳内の神経伝達物質も、血流によって左右されています。

漢方の視点から見ても、血がつくれない体質だと無気力に、血が不足すると不安に、血が流れないとイライラすることが知られています。血流の不調のせいで、負の感情が生まれてしまい、結果として心も悪い方向に進んでしまうのです。

血流を増やす、魔法のような漢方薬があるのでしょうか?

決してそんなことはありません。もちろん、薬局の相談では漢方薬を使いますが、それと同じくらい、いえ、漢方薬を使うことよりも生活の中でできる工夫のほうがはるかに効果的で、重要です。

正直にいいますが、これまでぼくのところに来られた方すべてが、悩みを解決できたわけではありません。残念ながら、いろいろな理由があり途中で治療をやめた方もいらっしゃいます。その中には、「漢方薬を飲めばいい」「病気は医者や薬剤師に解決してもらうもの」だと思っていた方もいます。

ぼくがどれほどがんばって、いい漢方薬を選んでも、体質改善方法をアドバイスしても、あなたの体質は改善しません。そのときは、いいでしょう。でも、本当の意味では解決しません。血流も増えません。

あなたの現在の心と体は、過去の蓄積の結果です。今までの生活の積み重ねです。それを治すのは、あなた自身だからです。今までと何も変えることなしに漢方薬に頼っても、意味がないのです。

ですから、「自分を治すのは自分自身だ」という気持ちをもって臨んでください。

でも、大丈夫です。ぼくは、難しいことをいうつもりもなければ、してもらうつもりもありません。これからお伝えする方法は、手軽に生活に取り入れられるものばかりです。

そして、何千年の歴史のある東洋医学で培われてきた方法を、現代医学の理論と合わせ、五万件のカウンセリングの実績のもとに、ふだんの生活の中で効果が出たものばかりを集めています。

何より体は正直です。正しい方法で取り組めば、生活をちょっと変えるだけで、血

流は必ず増え、よくなります。

たくさんの悩みを解決してきて痛感するのは、みなさん、血流が増えて体が元気になっていくと、心も元気になっていくということ。

体調がよくなるにつれ、変わっていくのです。

いつも暗い顔をしていたひと。いつもつまらなそうにしていたひと。悪いことばかり口にしていたひと。ネガティブなことばかり訴えていたひと……。

そんな方たちの表情がだんだんと明るくなっていく。言葉が変わっていく。

心と体の悩みが同時に解決していくときには、必ず血流が関係していたのです。

そのことに、ぼくは敏感に気がつきました。

それは、ぼくが、体の不調の解消だけでなく、本人の抱えている常識や執着といった束縛からの「心の解放」をゴールとしているからかもしれません。

通常、精神科や心療内科でもないかぎり、薬局や病院で病気の相談をしても、心のことにはあまり注意を払われないことがほとんどです。

しかし、ぼくは病気や症状のその先のことがいつも気になります。

病気を治したいとき、症状を改善したいとき、治すこと自体が本当の目標だと思いますか？


ひざの痛みをとりたいのは、楽しく旅に出たいから。

ダイエットするのは、やせて自分に自信をもちたいから。

きれいになりたいのは、すてきな彼氏が欲しいから。

生理痛や子宮内膜症の痛みをとりたいのは、みんなと同じように毎日を笑顔で過ごしたいから。


誰でも、悩みを解決したその先の夢や目標があります。

きっと、この本を手に取られた、あなたもそうだと思います。

体の悩みを解決することは、その先にある夢や目標を叶《かな》えていくことなのです。


現代医学でも何千年の歴史をもつ漢方医学でも、高血圧、心筋梗塞《こうそく》、脳梗塞といった血管の詰まる病気はもちろん、生理痛、不妊症といった婦人科、肩こり、ひざ痛といった痛み、はてはがんや認知症といった、ありとあらゆる病気に血流がかかわっていることがわかっています。

そして、うつや自律神経失調症などのストレスがかかわる心の病気、やる気が出ない、自信がない、イライラするといった感情、性格などの心の悩みまで、血流は深く関係しています。

体の不調に悩んだり、ネガティブな感情に苦しめられていたりしたのは、あなたが悪いせいではありません。

悩みに囲まれ、思いどおりにいかなかったのは、血流のせいで、本来の自分の力を発揮できなかっただけなのです。

現代医学と何千年の歴史をもつ東洋医学。

二つの視点から、あなたが血流を増やし、改善して、心と体の悩みを解決していく方法をお伝えしていきます。

血流がすべて解決する　目次

第二章 「つくる・増やす・流す」であなたの血流はよくなる

第二章

血をしっかりつくるための食べ方10の真実

第四章 元気な血を増やすための眠り方 6つの常識

第五章

「静脈」の血流をよくするための生活習慣 5つの方法

第六章
心と体の悩みは血流がすべて解決する

第七章
血流をよくすれば、心は自由になれる

企画協力／かぎろい出版マーケティング　西浦孝次
装　丁／萩原弦一郎＋藤塚尚子（デジカル）
ＤＴＰ／山中　央
編集協力／増山雅人
編　集／黒川可奈子（サンマーク出版）

第一章

その不調の原因は、すべて血流にあった

「血液サラサラ」にしても血流はよくならない

「血液をサラサラにしても、血流はよくなりません」

そう言うと、ほとんどの方が「えっ？」とびっくりされます。健康番組や健康雑誌ではドロドロ血液の恐ろしさが特集され、血液をサラサラにすることで血流がよくなるのは、今や常識とさえいえるでしょう。

勘違いしている方が多いのですが、「血流が悪い＝血液ドロドロ」ではないのです。たしかに血液がドロドロであれば、サラサラにして血をしっかりと流さなければなりません。もしもあなたが糖尿病、心筋梗塞《こうそく》、脳梗塞、高コレステロールといった生活習慣病を患っているのなら、血液をサラサラにすることは有効で、とても大切です。

しかし、これまでにたくさんの女性の相談を受けてきた結果、大多数の女性にとっては血液をサラサラにしても、血流はよくならないことがわかりました。それは、女性の血流が悪い原因が血液ドロドロではなくて、「血の不足」にあるからなのです。

誤解を恐れずにいいますが、**血が足りないひとがいくら血液をサラサラにしても、まったくの無駄です。**

いくら努力をしても、血流が改善した実感がない。症状がよくならない。それどころか、血が足りないひとが単純に血液サラサラ健康法を実践すると、体調を崩してしまうことさえあります。

それは、足りない血流を無理やり全身にめぐらせることになるためです。ふらふらとめまいがしたり、気分が悪くなったり、いってみれば、強制的に立ちくらみを起こしつづけているような状況をつくってしまうからなのです。

流れる血液の状態を、こんなふうにイメージしてみるとよくわかります。

血液ドロドロとは血管の中をヘドロのような血液が、血管にベタベタとへばりついて流れにくい状態です。それに対して不足している状態とは、血管の中を血液がチョロチョロとしか流れていない状態。状況が違うため、対策もまったく異なってくるのです。

血液サラサラが必要なのは、生活習慣病に悩んでいるような、血液の詰まりを心配しなければならないひとです。このような病気に悩まれている方を想像してみてください。かなり体重が重かったり、たくさんお酒を飲んでいたり、ヘビースモーカーだったり……。

それに対して生理のある世代の女性や更年期世代の女性はいわゆるメタボではない方が多く、根本的に血液ドロドロとは異なり血が足りない状態になっています。

この血が足りない体質のことを「血虚」といって、さまざまな病気や悩みを引き起こす原因になっています。

血が足りないひとは血流が悪くなるため、みなさん血流の悪さを自覚して、さまざまな努力を積み重ねています。

納豆や青魚をたくさん食べたり、EPA（エイコサペンタエン酸）やイチョウ葉といったサプリメントをとったり、水をたくさん飲んだり……。

しかし、こういった世の中に知られている血流改善法のほとんどは、血を増やして血流をよくするための方法ではありません。血流がよくなることに間違いはないのですが、血液ドロドロタイプのひとのための改善法なのです。

血が足りないひとの場合、血の不足を解消しないと、まったく解決につながりません。方法が合っていないのです。そもそも血が足りないので、せっかくとった栄養やサプリメントさえも全身に届かない状態です。

これまで改善のための努力をしても症状がよくならなかったのは、あなたに合った方法を知らなかっただけです。血流がよくならずに苦しんで当然なのです。

実際に漢方相談の現場でみた方の多くは、血が足りない血虚体質でした。驚くほど多くのひとの血が足りていません。日本の女性は妊婦健診の際、四割のひとに貧血状態が見られ、それは先進国の中でもかなり悪い数字です。さらに悪いことに、相談の現場で血の状態をみていると、そんなレベルではありません。実に九割以上の方が血が足りていないのです。

ぼくのこれまでの漢方相談では、そのすべてにおいて血をみることで悩みを解決してきたといっていいほどです。話し方や声の大きさ、顔色、体格を見ることで血の状態のよしあしがわかります。また漢方では舌を見て体質を判断しますが、ベロっと舌を出してもらえば、一発で血流の状態がわかります。ぼくが質問するまでもなくぴたりと悩んでいる症状を当てるので、びっくりされる方も少なくありません。

西洋医学的に血流は、全身に酸素や栄養を運ぶ重要な働きをしています。それに加えて漢方医学では、**「女性の体は血が基本（女子以血為本）」**という考え方があります。「女性の力＝血」と考えてもよいくらい、とにかく女性をみるときには血の状態を重視します。

とくに、婦人科の漢方では、血流が悪いことがあらゆる婦人科疾患を引き起こすとみなすほどです。

あなたの悩みだって、その一つです。でも、心配する必要はありません。九割以上のひとが血不足だと書きました。血不足によって多くの病気や悩みが引き起こされているということは、逆にいうと、ほとんどのひとの悩みは血を増やすだけで解決するということです。

血が足りない方は、血を増やせば増やすほど症状が楽になっていきます。喉《のど》が渇いてつらいときにたった一杯の水で楽になるのと同じです。

足りなければ、増やせばいいのです。一緒に血のことを深く学んでいきましょう。

血を増やし、血流をよくしていくことで、心と体の悩みから自分を解放していきましょう。

血流は細胞レベルで、あなたの体を変える

大切な血流の働きですが、そもそも、なぜ血流が生まれたのでしょう？

その秘密は、生命の誕生にまでさかのぼります。

今から約四十億年前。初めての生命は海の中で生まれました。そのころの生物は、単細胞生物といってたった一つの細胞でできていました。そのころは、血液は必要ありませんでした。当時の生物は直接海水から必要な酸素や栄養を取り込むことができたからです。

その後、進化によっていくつかの細胞が集まった多細胞生物になっていきます。このとき、生物は海水を体の中に取り込み、それを体液としました。今でも海水がその

まま血液の代わりに全身を流れる仕組みをもっている生物もいます。

そして進化していくうちに、もっと効率的に酸素や栄養を運ぶために赤血球などが生まれ、今の人間のような血液ができていったのです。

もともと海水が全身をめぐっていたので、血液の組成は、人間の直接の祖先となる生物が生まれたころ、四億年前の海水の組成と同じともいわれています。海水は大地を少しずつ溶かしていくので年々濃くなっていきますが、**人間の体の中には、種や世代を超えて原始の海水がそのまま閉じ込められているのです。**

海水が血液だったということは、血流の重要性を考えるうえでとても大きな鍵《かぎ》になります。

海では常に潮の満ち引きや海流によって新鮮な海水が流れています。その中で、原始の細胞は生活していました。

今の人間の細胞も同じです。血液という海がしっかりと流れることで、そして新鮮な血液が常に供給されることで、ぼくたち人間をつくっている細胞は生きていくことができます。心臓の鼓動で生まれる脈拍は海の波ともいえるでしょう。心臓が止まり、血流が止まるのが死です。血流は細胞一つひとつを支えることで、生命そのものを支えているのです。

たった一つの細胞で生物が生きていた四十億年前と違い、今や人間には全身に六十兆個もの細胞があります。その六十兆個に酸素と栄養を届けるのは、非常に大変なことなのです。そのために、全身にある細胞のなんと三分の一、二十兆個が血液の細胞です。

人体ではこれだけ大きな割合を占める組織は他にはありません。そのため血液を最大の臓器と呼ぶ研究者もいるほどです。

六十兆の細胞一つひとつを支えるためには、これだけ膨大な数の血液細胞が必要なのです。

血液細胞は全身で二十兆個ありますが、実は、不足している女性が少なくありません。

病院で貧血の検査をしたことはありますか？

女性の赤血球数は、三百八十六万〜四百九十二万が基準値です。三百八十六万だったからギリギリ大丈夫、と安心する方も少なくないのですが、ちなみにこの数値、たった一〇〇〇分の一㎖中の量です。全身に換算すると、およそ十五兆個。健康なひとの血液の細胞二十兆個に比べて五兆個も不足しています。

すさまじい数で血が足りないことを思えば、さまざまな不調が出てしまうのは、当然といえば当然なのです。

不調や病気というと、子宮の病気、肝臓の病気、心臓の病気というふうに、それぞれの臓器が悪くなったように考えがちです。しかし、どの臓器もたくさんの細胞が集まったものです。その臓器をつくる細胞一つひとつのトラブルが積み重なって病気や不調がつくられるのです。

人間の体をつくっている細胞一つひとつに、酸素や栄養などを届けるのが血の仕事。

血を増やして血流をよくするというのは、細胞レベルで体の働きを活性化し、重大な病気や不調になるのを防ぐということなのです。

血の質と量が、「若さ」や「寿命」を決めている

貧血の心配は全然ないから大丈夫、よかった。

そんなふうに思ったひともいるかもしれません。

しかし、かんたんに安心しないでほしいのです。漢方でいう血が足りない「血虚」というのは、単純に貧血という意味ではなく、血の質が悪くなっていることも意味しています。

以前、ぼくが漢方相談を始めたころのことです。ある七十代の女性がいらっしゃいました。この方は、「耳が聞こえにくい」「めまいがする」ということで相談に来られたので、耳鳴りやめまいの症状を改善する漢方をお出ししました。しかし、それがまったく効かず、どうしたらいいのだろうと困ってしまっていたのです。

ある日、疲れがあるということだったので、たまたまタンパク質の栄養剤をお渡ししたところ、「疲れにくくなった」「朝の目覚めがよくなった」と喜んでいました。そ

してそれからしばらくして、

「いや〜、耳が聞こえるようになった」

と言われたのです。びっくりしました。

よくよく聞いてみると、一人暮らしということもあって、食事がスーパーやコンビニのお総菜やお弁当ばかりになり、かなり栄養バランスが悪くなっていました。相談に来られた当初の体質チェックを見ると、血虚もありました。しかし病院にも定期的に通われていて、貧血もないということだったので、うかつにも安心してしまっていたのです。

「耳が聞こえない、めまいがする」という話にばかり気をとられてそこばかりを治そうとしていたのが間違いでした。この方は、老化のために耳が聞こえにくかったり、めまいが出ていたりしていたわけではなく、血が足りないために十分な血流が耳に届かず、耳の働きが悪くなっていたのです。そして、タンパク質不足のために血の質も悪くなっていました。

実際に、こういったことは少なくありません。もっと重大な病気でも同じです。それは、見かけ上の症状や悩みの本当の原因に「血」の問題があるためです。

今回ご紹介したような栄養不足で血の質が悪くなっている状態。そんなことは、お年寄りの一人暮らしだから起こることで、自分にはあまり関係ないと思うかもしれません。

しかし、お年寄りに起きていることが、若い方にも同じように起きています。

現在、日本では食事の内容が急速に悪化しています。とくに血の原料となり、血の質を支えるタンパク質の量の落ち込みはすさまじいものがあります。戦後一貫して増えてきたタンパク質の一日あたりの摂取量は、平成七年にピークの八一・五gを記録したあとに減りつづけ、平成二十三年には、まだ食料不足が残っていた戦後の昭和二十五年よりも少なくなってしまっています。

血液というと鉄分ばかりが注目されがちですが、実は水を除くとそのほとんどがタンパク質でできています。そのためタンパク質をとる量が減れば、すぐに血の質が悪化してしまうのです。

血液中のタンパク質は赤血球以外には主にアルブミンとして存在しますが、このアルブミンは若々しさや長寿に深く関係しています。そのため「余命の予知因子」とも呼ばれていて、アルブミンが少ないひとは寿命が短く、多いひとは長寿であることも知られています。血の質は現在の健康はもちろんのこと、若さや将来の自分の寿命にも大きな影響を与えています。

質のよい血でいることは、「今」のためだけでなく、将来にとってもとても大切なことなのです。

体を生かすも殺すも血流がすべて

心臓を出た血液は一分間で全身の血管をめぐり、また心臓へと帰ってきます。この流れが「血流」です。血液は、全身を流れることで五つの大切な働きをしています。

①水分を保つ。

②届ける（酸素、栄養、ホルモンを運ぶ）。

③回収する（老廃物、二酸化炭素を回収する）。
④体温を維持する。
⑤体を守る（免疫力）。

血流をよくするということは、血液がこの五つの仕事をしっかりとできるようにするということです。血流がよいとあなたの体にある六十兆個の細胞一つひとつに酸素や栄養、熱を届けてくれ、温かい環境まで整えます。そして、細胞は元気に、若々しく働いてくれるのです。

血流が悪くなると、体の働きは根本から崩れてしまいます。

水分のバランスが悪くなるため、むくむ。
酸素が届かずカロリーを燃やせないために、太る。
老廃物が回収されずたまるので、だるい。
熱が足りないために、冷える。
免疫力が下がるので、病気がち。

血流が悪くなると起きるこれらの症状をよくみてください。一つひとつの症状はささいなものにみえます。しかし血流が悪いと、これらの不調が同時に起こります。もしかして、あなたを悩ませている症状そのものではないでしょうか？

そうです。

現代の日本人女性の悩みをつくり出しているのは、血流の悪化にほかならなかったのです。

最初は単なるむくみや冷え、肩こりといった何気ない症状でしかないかもしれません。しかし悪いことに、これら五つの不調は、お互いに協力しあって、不調をさらに大きく重症化させていきます。

生理不順、生理痛、不妊、更年期障害などはもちろん、ホルモンや自律神経のトラブル、はてはがんといった大きな病気へと育てていってしまうのです。体は悪循環の深みにはまってしまいます。

しかし、血流を増やせば不調は、どんどんよくなっていきます。最初は小さな変化にすぎないようにみえても、悪いことを引き起こす悪循環を断ち切ってくれるのです。

あなたが不調に悩んでいるとしたら、あなたが悪いためではありません。単に、血液が届かず、細胞の一つひとつが本来の力を発揮できていないだけです。**しっかりと血流を増やし、血を届ければ、あなたは今よりももっと元気に、もっと若々しくなることができます。**

体を生かすも殺すも、血流によって左右されているのです。

女性の力は「血流力」である

漢方医学では古くから「女性の体は血が基本」であると紹介しました。男性でももちろん血流不足は問題になりますが、女性での影響は圧倒的です。

断言しますが、血流を無視しては、女性の病気や不調はよくなりません。日々、ぼくは仕事をする中で、女性と血流が深くかかわっていることを非常に強く感じています。経験を積めば積むほど、これが真理だと感じるのです。

では、なぜ女性にとって、血流がそれほどまでに大切なのでしょう。

それは、女性の体のリズムそのものが、もともと海であった血流と深くかかわっているからです。

生理のことを月経といいますが、これは安土桃山時代の文献にも出てくる古い言葉です。そして、さらに古い時代、中国では「月事」「月水」と呼ばれていました。英語では「menses」といいますが、その語源は古代ギリシャ語で月を表す「mene」という単語です。英語だけではありません。ドイツ語、フランス語さらにスペイン語、ロシア語などヨーロッパのほとんどの国の言葉でも月を語源としており、またアジアではタイ語でも「月のまわり」、インドネシア語でも「月が来る」といいます。

時代や民族、地域や文化も超えて、女性の生理は月とかかわる言葉で表されるのです。生理周期が月の周期（二十九・五日）に重なることは、人類共通の女性のリズムです。

現在、規則的に生理が来る女性の生理周期は、二十八日がもっとも多くなっています。しかし、今よりもはるかに夜間の照明が暗かった昭和十五年の統計では三十日型がもっとも多く、昭和十六年の調査では二十八日型は三％を下回っています。また一九六〇～八〇年代に海外で行われた統計では、生理周期が月の周期と同じひとの約七〇%が、満月と新月の時期に生理、排卵があることがわかっています。

人類が誕生して七百万年の間、人類はほとんどの期間、集団で狩猟生活を送っていました。

一九七一年の研究では、寄宿生活を送っている女子学生は、月経周期が一致するという傾向も認められています。そのため、人類学者の間では、農耕を始める前の時代の生理周期は、ほぼ新月に合わせて同期していたという説もあるほどです。

人工の照明によって夜でも明るくなった現代の生活では、本来もっている体のリズムがわかりにくくなってしまいました。しかし、ひととのつながりのある共同生活や、昼は明るく夜は暗いという人間本来の生活に近づけば近づくほど、体の根源的なリズムがはっきりとしてきます。

血流が月の周期の影響をもっとも受けているのは、それがほかならない海だからです。打ち寄せる波も、潮の満ち引きもすべて満月・新月のリズムに合わせて生まれます。サンゴが満月の日に産卵するように。ウミガメが大潮の日に産卵するように。もとが海である血流には月の影響を強く受けていた太古の記憶が残っているのでしょう。

母なる海という言葉がありますが、血流はまさに生命を育《はぐく》む海そのものです。赤ちゃんがお母さんから血液を通じて酸素や栄養を受け取っているのはご存じでしょう。しかし、それだけではありません。精子と卵子が出会って受精すると、赤ちゃんはお母さんのおなかの羊水の中で育ちます。この羊水は妊娠するとすぐお母さんの血液からつくられます。血液中の水分成分が染み出て透明な原始の海をつくるのが、羊水の始まりです。

母から子へと生命をつないでいくのは、血液です。人間は、生まれる前から羊水という海とともにあります。成長してからは、血液という原始の海を体の中に流しながら人生を送ります。そして、受精をスタートとすると出産予定日までは二百六十六日間。これは、月の周期（二十九・五日）の約九倍になります。もしも満月の日に受精したならば出産予定日も満月なのです。

血流は体の中に閉じ込められた海そのものです。

女性の体には、海と月の関係が生理周期として深く残っています。生命を育み、次代へとつなげていく力は血流そのものの力、女性のもつ力です。漢方医学に残る「女性の体は血が基本」という言葉も、まさにそのことを示しているのです。

鉄不足によって負の感情が生まれてしまう

血流が減ると、うつ、落ち込み、イライラといったマイナスの感情が出やすくなります。

それは、脳の血流が不足するためです。

急に立ち上がったときに、ふらっとした経験はありませんか？　これは、一時的に脳の血流が不足するために起きる現象です。一時的な不足であればふらつき程度ですみますが、慢性的に脳の血流が悪化すると、脳はいつもどおりの活動ができなくなり、深刻な影響が出てしまいます。

気持ちが沈みがちになり、記憶力も低下してしまいます。そして、うつや認知症のように、感情や記憶といった働きへの悪影響も表れます。うつが回復しても再発するひとがいますが、再発の際には、脳の血流が急激に減ってしまっていることもわかっています。

どうして脳と血流には、それほどまでに深い関係があるのでしょうか。

脳は体の情報のやり取りの中心であり、非常に重要な部位ですが、重さは一・二kg、体重五〇kgのひとなら、全身の約二%の重さにすぎません。このたった二%の重さの脳が、肺で取り込んだ酸素のなんと二五%を使っています。そして大量の酸素を運ぶために、全身の一五%もの血流が集中しているのです。

脳が考え、活動するためには、大量の血流によって酸素や脳の栄養であるブドウ糖が届けられる必要があります。たった十秒でも血流が止まれば意識を失い、わずか三分ほどで脳細胞の壊死《えし》が始まってしまいます。

血流不足の代表ともいえる貧血は、実際に心への深刻な悪影響を及ぼします。うつ病とほとんど同じような症状が出るため、うつだと思っているひとの中には、実際は貧血だったというひとも少なくありません。血流が少ないために、酸素を少量しか運ぶことができず、脳の働きが低下するためです。

それだけでも恐ろしいことですが、それ以上に恐ろしいことがもう一つあります。

血流不足だと、幸せを感じられなくなってしまうのです。

脳の中には、感情や精神に関係するホルモンがあります。

精神を安定させて幸福感を抱かせる幸せホルモン、セロトニン。

向上心やモチベーションを高めてくれるわくわくホルモン、ドーパミン。

物事への意欲の源であるやる気ホルモン、ノルアドレナリン。

この三つのホルモンは非常に重要で三大神経伝達物質とも呼ばれ、不足したりバランスが崩れてしまったりすると、たちどころに心の状態が悪くなってしまいます。生理前に落ち込んだりネガティブ思考になったりする女性も多いですが、これは、一時的なセロトニン不足によってもたらされていることがわかっています。

この三つのホルモンをつくるためには、鉄が必要不可欠です。鉄が不足すると、これらの心のホルモンがつくれず、幸せもわくわくもやる気も感じられなくなってしまうのです。

考え方や食事によって、脳内の幸せホルモンを増やす方法も提唱されていますが、鉄が不足すると、そんな努力はまったくの無意味となってしまいます。どれだけがんばったとしても、心のホルモンをつくること自体ができなくなってしまうからです。

人間の体でもっともたくさんの鉄を蓄え、脳へと届けているのはほかならない血液です。

鉄不足である貧血は当然ですが、たとえ数値的には貧血でなくても、血液中の鉄が足りなくなる「隠れ鉄不足」のひとが、日本人女性の半数を占めるという報告もあります。世界的にも幸福度が低いといわれる日本人ですが、その背景に国民的な鉄不足との関係も疑うべきでしょう。

やる気がない、不安になる、イライラするといった負の感情が、血流のせいで生み出されてしまうのです。

そして血流の不調から出てくる感情には、特徴があります。その感情を引き起こす

「原因」がなかったり、不明確だったりするのです。原因がないのに、やる気がない、不安、イライラといった感情に振り回されてしまいます。

仕事に行き詰まってやる気が出ない。お金の問題に追われてしまって不安。彼氏とケンカしてイライラする。それならまだわかります。

何か明確な原因があったうえでの感情なら、原因の解決に向けて努力のしようもあります。しかし、自分でもなぜだかわからない感情は対処のしようがなく、悩み苦しむことになってしまうのです。

それは、あなたのせいではなく、血流の不調のせいです。

一生懸命気持ちを切り替えようとしても、切り替わらない。性格を変えたいと思っても変わらない。思いどおりにいかない。ひとにつらい思いをさせてしまう……。

これも、あなたの性格が悪いせいではありません。あなたの努力が足りないわけでもない。

ただ単に、血流が悪いだけ。血流をよくすればよいだけなのです。

五万件のカウンセリングが教えてくれた「心と体の本当の関係」

ぼくの薬局ではこれまで五万件のカウンセリングを行ってきました。この五万件というのは一人ひとりの方の置かれている状況、症状などを詳しく聞き、そのうえで体質や体調の変化を追って、積み上げてきたものです。

その中で、血流が心と体に大きな影響を及ぼしているということを痛切に感じてきました。

ぼくに初めて血流の大切さを教えてくれたひとが、Nさんです。当時三十歳で、ダイエットの相談に来られた方でした。うつで休職され精神科の薬を服用。そのことも関係して二〇kgも体重が増えてしまっていたのです。

もちろんご本人はやせたいと思っているのですが、食べることがやめられません。どうしても、やる気が出ない。休職していることも、自分の中で許せません。復帰したいと思っても夜になると眠れず、昼間は一日中だるくてぼーっとしたまま過ごしてしまう……。

カウンセリングは、週に一回ずつ継続して行いました。毎週、Nさんはカウンセリングに来るたびに、おかしを食べてしまったこと、運動ができずにごろごろしていたこと、食べすぎてしまったことなど、ダメだった話ばかりをされます。本人も落ち込んでしまうのですが、相談を受けるぼくのほうも、正直なところ困っていました。

そんなとき、Nさんが生理不順であることがわかりました。そこで、ダイエットがあまりにもうまくいかなかったため、そちらの対応を優先することにしました。漢方では、生理不順であるときに、まず血を増やします。**「子宮は血の海」という言葉があるとおり、血が豊富にあって初めて子宮・卵巣系の機能は正常になります。**

生理の改善のために血を増やすようにしたのですが、結果的に劇的な効果が出ます。今でもはっきりと覚えていますが、いつも暗い表情だった彼女に笑顔が出るようになったのです。自信がなくておどおどと伏し目がちだったのが、しっかりと正面を向いて話をするようになりました。目に力も出ます。見ているこっちまでうれしくなりました。そのくらい劇的な変化でした。

表情が変わっていくのと同時に生理が正常化したのはもちろん、食事を控えたり、運動したりするという自己コントロールができるようになりました。その結果、ダイエットに成功。さらに予想だにしていなかった職場復帰まで果たすことになられたのです。

また、Mさんのエピソードも印象的でした。

一か月のうち、生理痛が十日以上、生理前も一週間以上調子が悪くなり、仕事もしょっちゅう休まないといけない。友だちと一緒に出かけたくても、疲れがひどくて断ってばかりで出かけられない。ピルをすすめられて飲んでもまったくよくならず、逆に副作用に苦しむことに。高校生のころから、いつも生理に振り回されていて本当につらいと相談に来られたのです。

この方が言われたのは、「自分率五％」という言葉。

生理痛や体の不調に振り回されてしまって、自分が思いどおりにならないことから出た言葉でした。やりたいと思ったことがしたい。家にこもって寝込んでいるのではなくて、友だちと遊びに行きたい。楽しい時間を過ごしたい。それなのに、思いどおりになるのは、人生のうちで、たった五％ほどしかない。そんな思いが込められていたのです。

血流を増やすことに取り組みはじめると、生理痛が少しずつ改善し、生理前のトラブルがなくなっていきました。その結果、だんだんと声も明るくなっていきます。語る言葉も変わりました。今までは職場での不満や、生活がこのままでいいのかどうか不安だということをしきりに口にしていたのが、「出かけることができた」「友だちと一緒にごはんを食べに行けた」と明るい話題が出るようになりました。

そして、「自分率」も六〇％にまで上昇。今までの仕事にも区切りをつけ、新しい仕事を探そうと前向きな気持ちで向かうほどになったのです。

休職、うつ・落ち込み、生理不順・生理痛、肥満など、一見すると別々の問題のようにみえます。しかし、本当はそうではないのです。血流ですべてが結びついているのです。

血流が引き起こす不調のやっかいなところは、さまざまな問題が一度に襲ってくるということ。すると、世の中の不幸が一気にやってきたかのように感じ、混乱してしまいます。そのときどきで、気になることから手をつける。少しでも楽になりたいと目の前の症状を改善する努力をする。でも、うまくいかず、がんばることをやめてしまう……という負のスパイラルに陥ってしまうのです。

不調の原因、一番の根っこが何かを見つけることが大切です。そしてほとんどの場合、血流を改善することがさまざまな不調を解決する決定打となるのです。

血流を増やせば、心も体もよい状態になる

血流が不足することによって、体にも心にも大きな不調が出ることをご紹介してきました。ここまで読んでいただいて、じゃあ具体的にどうしたらいいの？　と思われたかもしれません。たしかに血流を目で見て確認することはできません。常に病院で血液検査などをしないとわからないのでしょうか？

実は、この血流の状態を心や体の状態からかんたんに判断できる方法があります。

それこそが漢方でいうところの「体質」です。漢方では体質を判断して、使う漢方薬や生活の改善法を決めます。さまざまな体質がありますが、血流の状態がわかる体質は「気虚」「血虚」「気滞瘀血《おけつ》」の三つです。のちほど詳しく説明しますが、それぞれ「血をつくる力の低下」「血の不足」「血のめぐりの停滞」にかかわっています。

体質をみるだけで、血流の状態はもちろん、原因と解決法に至るまですべてを知ることができるのです。そして血流が悪い原因さえわかってしまえば、解決に向かってまっすぐに進むことができます。その解決法も、生活習慣としてかんたんに取り入れてしまえるものばかりです。

あなたはこれまで、心や体の悩みを抱えて、それをなかなか解決できなかったかもしれません。でもそれは、ただ単に解決方法を知らなかっただけ。

自分の血流の状況を知って、血流を改善すれば、血流さえよくなれば、心も体も勝手によい状態になっていきます。人間とは本来、心も体もよい状態である生物なはずです。

思い出してみてください。

体調がよいとき、気持ちは明るくなりませんか？

体調が悪いとき、気持ちも沈みませんか？

心と体は二つで一つ。分けることのできないものです。心と体の状態はお互いに影響し合います。心は空中を漂っているわけではありません。常に体とともにあります。心の入れ物である体を整えてあげれば、当然、心の状態もよくなっていく。そして、その基本となるものこそが血流なのです。


血流をよくしましょう。

体調がよくなると、毎日が気持ちよく過ごせるようになります。

毎日が気持ちよく過ごせるようになると、心もずっと穏やかになります。

今あなたが、苦しんでいたとしても、大丈夫。体はとても正直です。正しい方法で取り組めば、必ずこたえてくれます。

血流の仕組みは、誰にでも生まれながらに備わっていることだから、正しい方法で取り組めば、誰だって成果を手にすることができるのです。

ぜひ、血流を増やして、心身ともに本来の調子を取り戻しましょう。

第二章

「つくる・増やす・流す」であなたの血流はよくなる

なぜ、あなたの血流はよくないのか？

朝起きるのがだるい、起きた瞬間から疲れている、から始まり、日中はぼーっとしてやる気が出ない。夜は眠れず、イライラする。体は冷え、生理になれば痛い。そして不調からネガティブ思考になって、どんどんマイナスな言葉が口をついてしまう。

それがいやで体にいいことをして調子をよくしたはずなのに、やめたとたんすぐにまた不調が襲ってくる……。

そんな悪夢のようなサイクルから卒業して、毎日を気持ちよく笑顔で過ごせるようになるための方法はただ一つ。

体の土台である血流を整えてしまうことです。

それも短期間で。

そのためにまず必要なのが、血流が悪くなる本当の理由を知ることです。なぜ、血流が悪くなっているのかを知らなければ、改善することは決してできません。原因のわからないまま努力をしても、まったくの無駄になってしまいます。

血流が悪くなる本当の理由は、次の三つです。

①血がつくれない。
②血が足りない。
③血が流れない。

そして、この三つの原因には順番があり、①から③の順番で起こります。**まず、血をつくることができないために血が足りなくなり、足りなくなるために血が流れなくなる。**

あなたの不調の原因となっている血流悪化は、この順番でドミノ式に起こっています。そのため、血流改善は原因に合わせて、順番に取り組むことが大切なのです。

たとえば、そもそも血をつくれないひとが、血を流す健康法に取り組んでもうまくいかないということです。

血流が悪いことでさまざまな不調が引き起こされますが、三つの原因それぞれが、漢方の体質と密接に結びついています。

①血がつくれない↓「気虚体質」。
②血が足りない↓「血虚体質」。
③血が流れない↓「気滞 瘀血《おけつ》体質」。

聞き慣れない言葉かもしれませんが、漢方の世界ではもっとも基本的な体質です。そして、心と体に深刻なトラブルを引き起こす体質でもあります。

カウンセリングの際に自分の体質がわかると、みなさん残念そうな顔をされます。しかし、ぼくから見るとそれは解決法が見えたということになります。あなたのさまざまな不調や悩みの原因がはっきりしたということ。原因がわかるからこそ、解決することができるのです。

女性の悩みや不調の多くは、病院では治せません。それは「病気」ではなく「未病」と呼ばれる、病気の手前の状態だからです。病院は病気を治すところです。病気ではないからこそその不調は自分で解決しなくてはいけませんし、そして自分でいくらでも改善できます。

血流を悪くしている三つの体質を順番に解決していくと血流がよくなるのはもちろん、体質そのものの改善につながります。血流を改善すればあらゆる悩みが解決するというのはこのためです。

血流を増やすということは対症療法的な改善ではなく、根本から改善する根治療法なのです。

体質を変えれば血流はよくなる

女性の体質チェックをしていると、非常におもしろい傾向があることに気がつきます。ぼくのところに来られるのは、冷え症、生理痛、不妊症などのように女性ならではの不調を抱えている方ばかりです。そのため「不調のある女性に共通の傾向」といってもいいかもしれません。

それは、漢方では他にも体質があるにもかかわらず、ほとんどの方の体質が、「気虚」「血虚」「気滞 瘀血」の三つに集中するということです。さらに、一人が一つの体質に当てはまるということではなく、二つ三つと複数の体質をもっていることが普通です。そして、これら三つの体質を改善すると、病気や症状といった不調がなくなっていきます。

日々の相談の中で「気虚」「血虚」「気滞 瘀血」の三つの体質を改善すること、つまり血流をよくすることが女性の不調そのものを解決していくことに直結しているのだと非常に強く感じさせられます。

それでは、三つの体質を一つずつ見ていきましょう。きっとあなたの悩みを解決する鍵《かぎ》がここに隠れています。

血がつくれない「気虚体質」のひとは疲れやすく、やる気が出ない

血が不足し、血流が悪化するそもそもの原因を引き起こしているのが、血がつくれないということです。この血がつくれない体質を漢方では「気虚」といいます。

どうして血がつくれなくなってしまうのでしょうか。その理由は胃腸にあります。胃腸が弱ってしまうと、栄養を十分に吸収できなくなってしまいます。すると血液の原料そのものが体に入ってこなくなるのです。

胃腸の働きの重要さは、動物の体の成り立ちからもわかります。肝臓、心臓、腎臓《じんぞう》、肺などさまざまな臓器がありますが、あらゆる臓器の中で最初にできたのが消化器系である腸です。食べることでエネルギーをとって生きるのは、動物の原初の形です。

人間、口にしたものでしか体はつくれません。水や食物など体を構成するすべての物質は胃腸を玄関口として体内に入ってきます。その胃腸の力が正常でない、弱っているということは、何を食べても消化吸収できないということなのです。

そしてこれは、血液をつくるということに限りません。サプリメントなどをとっても効かない、効果がわからない場合の多くは、胃腸がうまく働かず吸収できていないからだと考えられます。

胃腸の力が弱くなるというのは、生命力の原点が弱くなるということなのです。

また漢方では、この胃腸や消化の働きを「脾《ひ》」といい、血をつくる大本とされます。実際にぼくは血をつくる漢方薬をよく使いますが、その内容を見ると胃腸に働きかける生薬が非常に多いのです。

「丹田《たんでん》」という言葉を聞いたことがあるかもしれません。おへその下、下腹部の腸のあたりにあって、全身の気のエネルギーが生み出され、力が集まる場所です。武術をするときや、スポーツをするときでも、丹田を意識するとしっかりと力が入りやすくなります。

この丹田とは丹（赤いもの＝血）の田（つくられるところ）を意味するともいわれます。古来、経験の積み重ねの中で、胃腸が血をつくるうえで重要な働きをしていたことを見ぬいていたかと思うと、非常に不思議な気持ちになります。

困ったことに、日本人というのは世界有数の胃腸の弱い民族です。古くからつくられてきた日本の伝統薬をみても、奈良の陀羅尼助《だらにすけ》丸、長野の百草《ひやくそう》丸、伊勢の萬金丹《まんきんたん》など多くの胃腸薬があるのは、日本人が遺伝的に胃腸が弱く、胃腸の力を回復することが全身の健康に役立つとしてきた何よりの証しでしょう。マクロビオティックや断食など食にかかわる健康法が注目を集めているのも、この胃腸の力に着目しているからかもしれません。

実際のカウンセリングの場で体質チェックをすると、圧倒的大多数の女性が、この血がつくれない「気虚」という体質を抱えています。

あなたも自分でチェックしてみましょう。二つ以上当てはまる場合はやや「気虚体質」の傾向があり、四つ以上当てはまる場合は「気虚体質」だと考えられます。

【気虚体質チェック】

□疲れやすい
□風邪をひきやすい
□足がむくみやすい
□トイレが近い
□よく息切れがする
□軟便、下痢がある
□冷え症

□声が小さい
□胃もたれしやすい
□満腹まで食べる
□新陳代謝が悪い
□朝食が欲しくない
□やる気が出ない
□決めたことが続けられない、すぐにあきらめてしまう

体の状態では、とにかく胃腸の不調が目立ちます。血だけではなくエネルギーもつくられませんから、疲れやすく、だるくなります。

「食べられなくてやせていそう」というイメージがあるかもしれませんが、「気虚体質」は両極端になる傾向があります。いくら食べても太れない細いタイプと、いくら食事を抜いてもやせない太いタイプです。前者は胃腸が弱いために十分な栄養が吸収できていませんし、後者は胃腸が弱いためにエネルギーがつくれず新陳代謝が悪くなっています。

心の状態では、「血がつくれない＝気虚体質」だと、やる気が出ないのが特徴です。

決めたことが続けられなかったり、問題に立ち向かおうとしてもくじけたりしてしまうのです。食べ物からエネルギーがとれず気力が出ないためですが、もう一つ胃腸と脳のかかわりにも理由があります。

動物の進化の中で、最初に腸ができた話をしました。人間に至る進化の過程も、どうやって食事をとるかということが根底にあります。口と腸だけだった動物が、食べたものからより効率よく栄養を取り出すために、胃や膵臓《すいぞう》、胆嚢《たんのう》といった消化器系を進化させ、よりエサをとりやすくするために、触覚や目、鼻など感覚器を発達させたのです。これらの臓器や感覚器をうまく使うために神経が発達していき、脳が出来上がります。

腸をスタートとして脳が出来上がっているので、先の章で述べた、幸せホルモン（セロトニン）、わくわくホルモン（ドーパミン）、やる気ホルモン（ノルアドレナリン）は、すべて腸にも存在しています。腸と脳が深く関係していることを腸脳相関といって、現代医学でもその秘密が明かされはじめています。

胃腸が弱い「気虚体質」を改善すれば、脳内のホルモンバランスもよくなり、やる気も出てくるというわけです。

血流を増やして不調を解決していこうとするとき、まず「気虚体質」を改善しなければなりません。胃腸が元気になって血がつくれるようになります。

そして、やる気が出て、今よりもずっと前向きに問題に取り組めるようになるのです。そうなると、血がどんどんつくれるようになるからもっともっと体調がよくなり、やる気がますます出るという好循環が始まります。

血が足りない「血虚体質」のひとは婦人科系のトラブルが多い

血が不足している状況を、漢方では「血虚体質」といいます。

「気虚体質」が改善され、血がつくれるようになってくると、自然と血は増えていきます。しかし、女性の場合はそれだけでは不十分なのです。もっと積極的に血の原料

をとる必要があります。

なぜなら女性の血流は、そもそも不足状態になりやすいためです。これは生理という形で毎月血液を失っているからです。生理で流す血液量をあなどってはなりません。一回の経血量は約一〇〇mℓ、一年で一・二ℓにもなります。初潮から閉経まで四十年とすると、恐ろしいことに女性は一生で約五〇ℓもの血液を失うことになるのです。日本人女性の平均体重が五二kgですから、ひと一人まるごとくらいの膨大な量です。これに、出産や授乳を加えると失われる血液量はさらに増えます。

漢方では女性の力は「血」そのものです。その重要性を考えると「血は足りていないもの」ということを前提に対策をとらなくてはなりません。

常時、貧血になれといわんばかりのこの状況であるのに、血液の原料となる鉄分がまったく不足してしまっています。昭和二十二年に国が統計を取り出してから、一日に必要とされる鉄分量を一度もとれたことがないほど、日本人女性の血液の原料不足は深刻なのです。

詳しくは後述しますが、血を増やすためには、血液の原料となる良質の食材を適切な方法でとることが欠かせません。

実際のカウンセリングの場でも、多くの「血虚」の方を見かけます。女性の力である「血」が不足しているために、婦人科系のトラブルをもっている方が多いのも特徴です。

では、「血虚体質」かどうかを判断するためのチェックをしてみましょう。二つ以上当てはまる場合はやや「血虚体質」の傾向があり、四つ以上当てはまる場合は「血虚体質」だと考えられます。

【血虚体質チェック】

□動悸《どうき》がする
□爪《つめ》が薄い、割れやすい
□物忘れが多い
□顔色が白い、ツヤがない
□乾燥肌、カサカサ

□生理不順
□抜け毛、白髪が多い
□貧血、立ちくらみがある
□かすみ目、疲れ目がある
□手足のしびれ、筋肉のけいれんがある
□眠れない、熟睡できない
□耳鳴りがある
□不安になりやすい
□自分に自信がもてない

体の状態では、まず婦人科系のトラブルが起こりやすい。漢方では「子宮は血の海」というように、血で満たされていないと子宮・卵巣系は非常に弱ってしまうのです。生理痛、子宮内膜症、不妊症などの婦人科系のトラブルがある場合はまず「血虚体質」だといえるのは、そのためです。

そして女性としては非常に困ることに、「血虚体質」だと老化が早くなります。漢方では「血」は血液だけでなく栄養も含んだ概念です。そう考えるとわかりやすいのですが、要は全身が栄養不足になっているのです。

そのため、血色が悪く、カサカサ乾燥したり、シワが出やすくなったりします。「血虚」の方は、どんなに高い化粧水や美容クリームを使っても効果が実感できなくなります。化粧品というものは、肌にある栄養素を活用して美肌やアンチエイジング効果を引き出すからです。

心の状態では、「血が不足している＝血虚体質」だと不安になります。漠然と不安を感じて、解決しても解決しても安心できません。これは、体が不安をつくり出しているからです。

全身の六十兆個の細胞は、血液があって初めて酸素や栄養というものを受け取ることができます。個々の細胞は血液が不足すると、自分が活動するのに不可欠なものが届かなくなるのを感じます。すると当然、細胞も不安になるのです。人間は細胞の連合体です。全身の六十兆個の細胞が生命の不安を感じれば、当然、人間そのものも漠然と不安にさいなまれます。

肝臓は全身でもっとも血液が集まる臓器ですが、漢方でも、「肝は血を蔵す」といいます。

肝の働きは目に通じるため、肝に蓄えられる血が不足すると目が疲れたり、痛みが出たりもします。

そして、精神的にも「見る力」を失います。見る力とは未来を見通す力です。先が見えない、将来がわからない。そんな不安感がつきまとうようになる。そして不安感は自信のなさに直結する。血が足りないときに不安になったり、自信がもてなかったりするのはこのような理由なのです。

血が満ちてくると、婦人科系のトラブルなどの体の不調もどんどん減りますし、外見的にも美しくなります。さらに、不安感が薄れて、自分に自信をもったすてきな女性に変わっていけます。

血とは女子力そのものなのです。

血が流れない「気滞 瘀血体質」のひとはストレスに弱くイライラしがち

全身の血のめぐりが悪くなっている状態を、漢方では「気滞 瘀血」といいます。「気虚」を改善することで血がつくられ、血が増えてくると、それだけで血流はよくなります。女性の血流が悪くなる原因の多くが、血が足りないためだからです。そして実際には、胃腸の弱りを改善する方法をとると、血液ドロドロの場合でもサラサラに変わります。

しかし残念なことに、**血を増やしても血流がよくならない場合もあります。ストレスの影響があるときです。**ストレスが加わると脳の視床下部という場所が刺激を受け、自律神経の緊張を引き起こします。するとストレスホルモンが分泌され、全身の血管が縮込まってしまうのです。そのために血液が流れにくくなります。

「気滞 瘀血体質」のひとは、ストレスに過敏な傾向があります。二つ以上当てはまる場合はやや「気滞 瘀血体質」の傾向があり、四つ以上当てはまる場合は「気滞 瘀血体質」だと考えられます。

【気滞 瘀血体質チェック】

□口の中に苦い味がする
□下痢と便秘を繰り返す
□偏頭痛がよく起きる
□喉《のど》にものがつかえた感じがする
□生理前におなかや胸がはる
□ため息をよくつく
□シミ、そばかすが多い
□慢性的な肩こりや頭痛がある
□生理痛がひどい、塊がある
□顔や唇の色が暗い
□下肢の静脈瘤《りゅう》が目立つ

□ストレスに弱いと感じる
□イライラしやすい
□自分の感情がコントロールできない

体の状態では、一般的に「血流が悪い」といわれる症状が出ます。ただし、いわゆるドロドロ血液で血流が悪いわけではありません。ドロドロ血液が高血圧を引き起こしやすいのに対して、血流の足りないスカスカ血液は低血圧を引き起こしやすくなります。血流が不足しているために低血圧のひとが多いのです。

高血圧は健康診断などでも注意されますが、低血圧が問題にされることはほとんどありません。国際的な診断基準もなく、あまり研究もされていません。しかし決して軽くみないでほしいのです。

低血圧は、朝起きられない、体がだるいということだけでなく、肩こり、頭痛、めまい、耳鳴りなども引き起こしてしまいます。

ドロドロで流れないにしても、スカスカで流れないにしても、いずれにしても血液が細胞に届いていないことに変わりはないのです。

ただし安心してください。血流スカスカは、これまで見てきた、「気虚」「血虚」を改善していくと、自然とよくなります。血をつくることができて血が増えれば、血はめぐり、流れるのです。

心の状態では、イライラしやすかったり自分の感情をコントロールできなくなったりしてしまいます。しかも、自分でもそのことがわかっているので、自分を責めてしまうのです。

とくに、「気滞　瘀血」のひとの場合はPMS（月経前症候群）になりやすい傾向があります。生理前になると感情が激しくなり、気持ちのコントロールが一段としにくくなります。実は、この生理前には、脳内の幸せホルモン、セロトニンが一時的に減少していることがわかっています。

セロトニンという言葉は、今までにも何度も出てきました。そうです、血をつくれるようになり、血が増えていれば、幸せホルモンの量を増やすことができましたよね。

同じ出来事でも、ひとによってストレスの感じ方は違います。あるひとは全然平気なのに、自分はものすごくショックを受けてしまうことを経験したひともいるでしょう。これは、視床下部の反応しやすさの違いですが、脳内の幸せホルモンが増えると、ストレスを感じにくくなることが最近の脳科学の研究でわかってきています。

血がつくれるようになり血流が増えると、脳内の幸せホルモンなども増えます。そのことによって、ストレスさえも感じにくくなるのです。そして、血管の緊張がとれ、ますます血流がよくなり、心も体も調子がよくなるという好循環が、どんどん展開していくのです。

血流をよくする時間は「四か月」

血流が悪くなる原因となっている体質を見てきました。チェックリストのチェックがもっとも多い体質一つだけというよりは、複数の体質を合わせてもっている場合がほとんどです。その場合も、まずは「気虚」の改善から始め、順に「血虚」「気滞瘀血」の改善に取り組んでいきましょう。

この、血が「つくれない・足りない・流れない」の三つの体質を順番によくしていきますが、体質改善は短期間で行っていきます。

ここでいう短期間というのは、四か月です。

四か月という期間の理由は、二つあります。

一つ目の理由は、赤血球の寿命です。赤血球は骨髄で生まれて全身の血管へと流れていきます。そして、古くなってくると最後は脾臓で壊されます。この期間が百二十日。すべての血液を新しく生まれ変わらせるために四か月が必要なのです。

二つ目の理由は、女性のリズムをつくる卵子です。といっても、なぜ血流の話に卵子がかかわるのか不思議に思われるかもしれません。

先述したように漢方では「子宮は血の海」という言葉があります。女性にとって非常に大切な血は子宮・卵巣系の働きに象徴されています。血流の状態がよくて初めて生理の状態はよくなりますし、生理の状態がよくないと血流の状態もよいとはいえません。

この生理のリズムのもととなる卵子が準備されるのに約四か月かかるのです。女性の卵子は胎児のときにつくられると、その後二度とつくられることはありません。卵子は卵子の倉庫である卵巣に蓄えられ、そこから選ばれた卵子が生理周期に合わせて取り出されます。卵子を取り出せる状態になるのに四か月かかるのです。

しかし、**四か月たたないと変化が起きないわけではありません。日々着実に体は変わっていきます。体調もしだいによくなっていきます。**

そして何より、一か月ごとの生理が目に見えて変わります。ぼくが婦人科のカウンセリングをしていてよかったと思うことの一つは、生理というもので、目に見えて変化を実感してもらえることです。やはり、人間、わからないものは続けづらいのです。女性はその点、非常に得です。生理で、目で見て血流の状態がわかるのですから。

「つくる・増やす・流す」の順番を必ず守る

ただし、効率よく血流をよくするために必ず守ってほしいことが一つだけあります。

それは、絶対に手順を守ることです。

血流をよくして体の土台をつくるために必要なのは、「つくれない・足りない・流れない」という原因を解決する三つのステップです。血はつくれないから足りなくなります。そして足りないから流れないのです。

次の章からは、食事を改善することで血をつくれるようになるための方法（第三章）、睡眠を改善して血を増やす方法（第四章）、静脈に着目して血を流すための方法（第五章）が書かれていますが、まず第三章から取り組んでみてください。

一番に取り組むべきなのは、血がつくれない「気虚」の改善です。詳しくは第三章で後述しますが、「朝、きちんとおなかがすいていること」が改善されたという目安です。これは、胃腸が丈夫になったということの証しです。

これができないと、そもそもの血をつくることができません。漢方を使う場合も、血虚の漢方は胃にもたれるものが少なくないので、胃腸を丈夫にしておかないと、胃痛や胃もたれが出て症状が悪化することすらあります。

年をとってお肉が食べたくなくなるのも同じ理屈で、「消化機能の低下＝気虚」ともいえます。ほとんどのひとは年齢とともに「気虚体質」になっていきます。
まずは、第三章の食事の改善にじっくり取り組んでみてください。

次に、血が足りない「血虚」の改善です。これは、夢を見ることが減ったり、朝すっきり起きられたりするようになることが改善の目安です。

血が足りない状態で血を流そうとして運動をしたりしても、頭痛やめまい、立ちくらみを起こしかねません。また、この状態で漢方やサプリメントを使うと、効かない、副作用が出るということもあります。

実は、この血が増える段階に、一番時間がかかります。先に述べたように、赤血球の寿命が百二十日（四か月）なので、どうしても増えていくのもこのサイクルになっているからです。

ただ、百二十日間、血が満タンになるのを待つというよりは、食事と睡眠を改善することによって徐々に血はつくられ、増えていくので、途中で「気滞 瘀血」の改善を加えていきます。

最終的に「つくれない・足りない・流れない」がクリアできれば、ストレスもあまり感じないようになり、心身ともに調子がよくなっていくでしょう。

ぼくのカウンセリングでは、だいたい一か月ごとに、「食事の改善」「たっぷり眠る」など、一テーマを決めて、取り組んでもらいます。

読者の方にも第三章から一章ずつ、じっくり取り組んでもらうといいのですが、一人でしていると飽きがきますし、なかなか続かないということもあるかもしれません。ですので、**最初の一週間は第三章を集中して行い胃腸を丈夫にしたら、次の二週目に第四章の睡眠改善を加え、三週目から第五章の生活習慣改善を取り入れ、レベルアップしていく。**

そして四か月集中して血流改善生活を送るという形が理想的でしょう。

この手順を無視すると体はよくなりません。それどころか、逆に体調を悪くしてしまうことさえあります。よく何をしても効かないというひとが相談に来られますが、本当に何をしても効かないというひとはいません。ほとんどの場合、「つくれない・足りない・流れない」という体の状況を無視していただけです。

もしもあなたが、これまで挑戦してみた健康法でうまくいかなかったとしても、単純に順番が間違っていただけかもしれません。手順を間違えなければ、誰でも健康になることができるでしょう。

たった四か月で心も体も変身する

どうしても人間「すぐに」効果が出ることを求めます。たった三日で、とか一週間で効果があればいいのに、と思います。ぼくもその気持ちはよくわかります。

もしかすると、四か月というと長く感じられるかもしれません。しかし、これは一生ものの体の土台を整える方法を身につけるための期間なのです。**長い人生の中の四か月と考えてみるとどうでしょう。決して長くはないと思いませんか？**

そして、実は四か月かけることには、もう一つ意味があるのです。

以前、熊野古道を歩いたことがあります。そのときに願いを叶《かな》えるということは、

「ああ、そういうことか」と、妙に納得したのです。

今と違って昔のひとは京都から熊野まで往復一か月かけてお参りをしていました。皇族や貴族、あるいは裕福なひとたちならいざしらず、庶民が一か月かけて旅をするというのは相当に大変なことだったと思います。一か月分の旅費、生活費、あるいは残された家族のためのお金。もちろん治安のよくなかった当時、山賊や追いはぎなどに襲われることもあったので、大変な覚悟も必要だったでしょう。ただ単に観光に行くというよりは、願いを叶えるために一心に熊野をめざします。

昔のひとが歩いた熊野古道をてくてくと一歩一歩歩きながら、妙にリアルに納得しました。「ご利益、願いが叶う」というのは、積み上げていくことなんだなと。

病気のお母さんに元気になってほしい、赤ちゃんに恵まれたい、幸せになりたい。そんな願いを叶えるために、旅をする前の準備から、往復一か月にもわたる旅路の間、叶えたい願いを思い浮かべ、今までのことを振り返ってみたり、これからの自分に思いを馳《は》せたり……。巡礼に出るために、そんなふうにして昔のひとは一日一日を歩いていったのです。

願いが叶う、ご利益というのは、神様がくれるものではなくて、自分の積み重ねた行いによって手に入れたものなのだと思うのです。

熊野詣《もう》で、お遍路さん、お百度参り、願かけ……。

昔から伝わる願いを叶える方法は、すべて思いを込めながら何日にもわたって続けていくものです。単に霊験あらたかな場所に行くというよりも、その思いつづける行為そのものに意味がある。日々、願いを意識して生活や行動を変えていくための昔のひとの知恵から生み出された伝統なのです。


これと同じことを漢方相談でも感じています。ぼくの相談を受けられる場合、初回は必ずお店に来ていただいています。大阪や東京、あるいは沖縄や北海道といった遠方の方でも、必ず最初は出雲《いずも》まで来ていただいているのです。以前はお電話だけで漢方をお送りしていたこともありました。しかし、電話だけの方よりも、出雲まで足を運んで相談された方のほうが、圧倒的によい結果が出るのです。たとえば、妊娠率では三倍も違いました。

とても不思議だったのですが、お話をうかがううちに理由がわかってきました。出雲まで来られた方は、みなさん忙しい中、何とか時間をやりくりしたり、ふだんあまりとらない休みを無理やりとったりします。わざわざ出かけることが、今までの生活を見直すきっかけになったり、夫婦で話し合うきっかけになったり、日常を飛び出すことで気持ちが楽になったりしていたのです。そして、血流を改善する方法を一つひとつ着実に実行されたからこそ、結果につながったのです。

ただ単に通信販売のようにお手軽に始めるのと、時間と手間をかけ自分の望みを明確にして始めること。その効果には三倍もの差がありました。

熊野古道を歩いたときに、思いを込めて行動をすることにこそ意味があったんだなぁ、とすーっと腑《ふ》に落ちました。

体が変わるのに四か月かかります。
しかし、この四か月を単に体の変化を待つだけの時間にせずに、自分自身を変える四か月にしてみませんか。

次の章からは、体を整えて血をつくり、増やし、流れるようにするための方法を一つひとつお伝えしていきます。単にノウハウとして実行するのではなく、ぜひ自分の願いをはっきりとさせて、思いを込めて実行してください。自分自身が積み重ねたものは、絶対に自分を裏切りません。

あなたの願いを明確にして、それを実現するために血流を増やしてほしいのです。

そうすれば四か月後、大きく変わった自分に必ず会えます。

さぁ、いよいよ次の章からは実際に血流を改善するステップを始めましょう！

第三章

血をしっかりつくるための食べ方10の真実

一日のリズムで体質はつくられる

漢方のカウンセリングをするとき、実は体質や症状の確認よりも大切なことがあります。それは、どんな生活をしているか、確認することです。朝起きる時間、寝る時間はもちろん、食事の時間、内容、間食などを細かく聞いていきます。かなり答えにくそうにされるひともいらっしゃいます。


「朝ごはんは何を食べますか？」

「食べません……」

「コーヒーだけです……」


「夕ごはんについて教えてください」

「二十二時です……」

「コンビニで適当に……」

お話をしながら二人で顔を見合わせて苦笑いすることもしばしばです。

逆に、

「ヨーグルトと果物のヘルシーな朝食です」

「健康に気をつけて野菜中心、お肉はほとんど食べません」

「必ずサラダをたくさん食べるように気をつけています」

と、胸を張って答えられることもあります。実は、これはおすすめしない食事なのですが……。

どんな答えでも、そこには血流が悪くなった原因が見えているので、ぼくは心の中でガッツポーズをしています。病気や不調がある方の生活には突っ込みどころが満載なのです。

でも、安心してください。あなたを責めているわけではありません。**突っ込みどころが多いということは、それだけたくさん改善点があるということです。**問題点といえば問題点なのですが、それはそのまま改善点に変わります。食事や生活リズムに問題があるひとの病気や不調は、非常に解決しやすいのです。

たしかに生まれもった体質などもありますが、一日のリズム、つまり生活習慣によって体質はつくられていきます。

それを聞くと、「早寝早起きはできない」「料理をするなんて無理」と思って本を閉じようとしていませんか？

大丈夫。

できないことは、できません。

たくさんの漢方相談をしてきて、よくわかっています。

無理なものは、無理ですから。

ただ闇雲《やみくも》に早寝早起きをしたり、バランスのよい料理を作ったりしてくださいといっているわけではありません。ただし、生活の中には、絶対に外してはいけないポイントがあります。あるいは押さえておくだけでみるみる変わるところがあるのです。

それをぜひ、知っておいてほしいのです。

ぼくのところには全国からさまざまな方が相談に来られるので、地域性や職業による違いも感じます。とくに東京などの大都市周辺の方の話を聞くと、夕ごはんの時間が二十一時以降になるひとなんてざら。仕事が忙しくて残業が多いのもあるでしょうが、通勤時間が一時間を軽く超えるとなると、どうしても生活のリズムに影響してしまいます。また、看護師や介護職の方のように夜勤があると、食事のリズムの乱れにはさらに拍車がかかります。

いつも話を聞きながら本当に大変だなぁと思います。そして、みなさん無理していないつもりでも、無理をしている。自分自身の生活を犠牲にしてしまっているのです。病気や不調を抱えてしまうひとほど、自分のことが後回しで家族、あるいは職場の同僚のことを優先してしまっている方が多いのです。

ほらあなたのまわりにいませんか？　図太いひと。調子が悪い、とか何とか言いながら元気そうでしょう？　こういうひとは、自分のことを優先しているので元気なのです。

あなたに図太くなれといっているわけではありません。しかし、自分の生活を見直すということは、自分自身を大切にすることにほかならないのです。他の方に向けているあなたのやさしさを少しだけでいいので、自分に向けてあげてくださいね。

ではあらためて、血流を増やして病気や症状を改善する方法を見ていきましょう。ぼくのカウンセリングを受けているつもりで、ぜひ読み進めていってください。

まずこの章では、血をつくれるようになるための「食事」についてお伝えしていきます。**人間の体は、食べたもののみでつくられます。血液だって同じ。あなたのこれまでの食生活が、あなたの血流をつくりあげてきたのです。何より大切な食事を改善することによって、不調を吹き飛ばしていきましょう。**

ここでのポイントは「胃腸」。胃腸を元気にして、その結果どんどん血をつくれるようになるための次からの10の真実を知って、実践していきます。

1 満腹より空腹がいい

カウンセリングの際、みなさんに必ずするのが次の質問です。

「おなかはすきますか？」

とくに、夕ごはんが遅い、あるいは朝ごはんが欲しくないというひとはよく考えてみてください。

おなかがすいていなくても、時間がきたからといって食べていませんか。

そう聞くと多くの方が「えーっと……」と考え込みます。それは、ふだん、本当の意味で「空腹」を感じているひとが少ないから。そして、もし空腹を感じていないならば、あなたの血流が悪い原因は間違いなく、「空腹の時間がない」ことにあります。

ここで注意してほしいのは、「空腹」と「空腹感」はまったく異なるということです。空腹は、実際におなかが空っぽの状態です。それに対して空腹感は、おなかには食べ物が残った状態であるにもかかわらず、おなかが空っぽの感じがしているだけのこともあるのです。あなたの「空腹感」は、本当の「空腹」でしょうか。

空腹の反対語は「満腹」です。

血のもととなる栄養をとるために、「たくさん食べなきゃ！」と思いがちですが、たくさん食べて満腹になることは本当に必要なのでしょうか？

胃というのは、食べ物がやってくると、グッグッと収縮することによって、食べ物を細かくし消化・吸収していきます。ところが不思議なことに、胃が収縮するのは、消化・吸収のときだけではありません。

食事をしたあと、およそ九十分たつと胃は空っぽになります。すると食べ物を消化しているときよりもずっと強くぎゅーっと収縮します。このときの収縮は非常に強力で、その刺激は胃だけではなく小腸まで連続的に伝わっていきます。そして、この強い収縮は、空腹が続くと、九十分おきに十五〜三十回ほど行われます。

胃がこのような強い収縮をするのには、理由があります。

胃腸を掃除するためです。

強い収縮を起こすことで、胃や腸の中にある食べ物の残りカスや古い粘膜をはぎとり、胃腸をきれいにしていくのです。

おなかがグーッと鳴って恥ずかしい思いをすることがあるかもしれませんが、これは掃除のために胃が収縮している音です。**おなかが鳴るのは、「おなかがすいたよ、食べたいよ〜」という合図ではなくて、「掃除中だよ〜。食べないで〜」の合図だっ**

たのです。


もし、空腹の時間がないと、胃は掃除をすることができません。

すると、食べ物のカスは残り、腸壁は汚れ、どんどん胃腸の働きが低下して、消化力が弱くなり、もたれたり、十分な栄養が吸収できなくなったりしてしまいます。


では、あなたの一日の中に、この大切な空腹時間がどのくらいあるかを考えてみましょう。繰り返しますが、食後九十分たって初めて「空腹時間」になります。

しかし、朝ごはんを食べて、十時のおやつ、十二時のランチ、十五時のお茶。デスクワークの間に、いただきもののお菓子をつまむ。仕事が終わったら、ストレス解消に甘いもの。夕ごはんをつくる間も味見ついでにちょこちょこ食べて、夕食が終わって寝るまでの間に、さぁ、買ってきたスイーツを……。

そんな生活になっていませんか？

空腹時間はどこにあるのでしょう。

胃腸は間違いなく、思っています。「休みたい……」と。

実は、いつも食べ物が身の回りにある現代の環境では、空腹になる時間がほとんどありません。そのために、胃腸は食後九十分してからの掃除の時間がもてず、ずっとカスやゴミがついたままの状態になってしまっています。

考えてみると、おなかの中は、温度三七度。ゴミが残っていたら、すぐに腐ってしまいます。腐ったゴミに囲まれて働かされつづける胃腸のことを思ってみてください。悲劇以外の何ものでもありませんし、考えただけで気の毒です。胃腸にしてみれば、働きたくなくなってしまう。それが消化のボイコット、ストライキである消化不良、もたれ、胸焼けなどの症状です。

とくに胸焼けの症状が主に出る逆流性食道炎は、患者数が急激に増えています。アメリカでのデータになりますが、一九七〇年代に比べてなんと五倍。年間の治療薬取引額は百三十億ドル（約一兆五千億円）を超えます。大食い、脂肪分や糖分の多い食事、ストレスなどが原因とされてきましたが、新たな研究結果では、「遅い夕食時間」が大きな原因の一つになっていると発表されています。まさに、胃腸の掃除ができないことが病気を引き起こしているのです。

毎日食べたものを一生懸命に消化し、大切な血流の源をつくってくれている胃腸にとって、一番大事なのが夜眠っている時間です。英語で朝食のことをbreakfastといいますが、実は「断食（fast）」を「やめる（break）」という意味です。まさにそのとおりで、一日の中でもっとも長い間食事をとらない就寝時間というのは、毎日小さな断食をしているようなものです。

八時間眠れたとしたら、九十分ごとの掃除時間が五回も訪れる。そうすると最大百五十回もの強い収縮によって大掃除が行われ、胃腸はすっきりきれいになることができます。これだけしっかり掃除して初めて、胃腸の健康が保て、十分に消化ができるのです。

寝る前に、おなかがすいていますか？

もしも、夕食を食べすぎたり、夜食を食べたり、夕食が遅くて寝る前ギリギリになったりしてしまうと、満腹のまま寝ることになってしまいます。眠っている間は消化が進みません。胃は動かず、食べ物を残したままの状態で空腹にならないため、強い収縮による掃除ができないことになってしまいます。

胃腸の掃除ができるようになるためのコツは、夕食を控えめにして、「小腹がすいたなぁ」くらいで眠ることです。

この夕食を控えめにするというのが、「目安がなくてわかりにくい」と言われることがあります。この場合は朝起きたときの食欲をチェックしてみてください。起きて一時間もしないうちに「おなかがすいた」あるいは、「おいしくごはんが食べられる」なら夕食を腹八分目で食べられている証拠です。

逆に、朝起きたときに食べたくなかったり、食欲がなかったりするときは、ほとんどの場合で「夜に食べすぎている」といえます。そして、おなかの掃除ができていると、朝起きたときにゴミが出ます。朝、お通じがあるのです。朝のお通じこそが、胃腸の掃除ができているという証しなのです。本来、夜の胃腸の掃除は毎日行われますから、毎朝お通じがあるのが本来の体のペースといえます。

そして、夜の空腹には特典があります。善玉ホルモンである「アディポネクチン」の分泌が活発になり、血管の掃除が行われます。さらに、若返りホルモンである成長ホルモンの分泌が活発化するために、シワが薄くなり、肌もツヤツヤとハリが出てきます。夜の空腹には美肌や若返りというおまけの効果もあるのです。

胃腸が元気になるのはもちろん、体の活性化のためにも、満腹よりも空腹がいいのです。ぜひ夜の空腹にチャレンジしてみてください。

2 やっぱり朝ごはんは食べなさい

「おなかをすかせてください」という話をすると、「だったら朝ごはんを抜きます」とよく言われます。

たしかに、空腹にするだけだったら朝を抜いたらよさそうな気がしますよね。カウンセリングをしていても、朝あまり食欲がないひとが多く、朝食だったら抜きやすいのだろうと思います。

しかし、朝ごはんは食べてください。

食べないと人生の大切な時間を損してしまいます。

朝食を食べたほうが頭の働きがよくなり、体温が上がります。すると、より活発に

活動できるようになります。朝食によって脳の栄養であるブドウ糖が吸収され、脳が活性化するからです。

もう一つ、**朝食には体内時計をリセットする効果があります。**

体内時計というのは、現代科学の最先端分野の一つです。時計遺伝子が発見され、全身の六十兆個の細胞一つひとつの中に組み込まれていることがわかってきました。体内時計には、脳にある主時計と、全身にある末梢《まっしょう》時計とがありますが、朝ごはんを食べると胃が動き出し、末梢時計がリセットされ一日のスタートがすっきりと切れるようになることがわかっています。

体内時計というのは、単に目覚めがいい悪いとか、時差ボケなどだけにかかわるわけではありません。人間の体温、血圧、循環器、免疫、新陳代謝などには一日のリズムがあり、このリズムが体内時計に沿って動いているのです。薬に対する反応や副作用も時間によって異なります。そのため、「時間医療」といって体内時計のリズムに合わせて医薬品を使うことで、ある種の抗がん剤では吐き気や抜け毛といった副作用を劇的に減らすことにも成功しています。

それほどまでに、人間の体のリズムというものは体内時計から大きな影響を受けているのです。

漢方の世界では、現代科学によって発見されるよりもはるかに昔から体内時計のことがわかっていました。二千年前に書かれた漢方のバイブルとも呼ばれる中国最古の医学書『黄帝内経《こうていだいけい》』に体内時計のことが記載されています。

漢方の体内時計は「子午流注《しごるちゆう》」と呼ばれます。これは一日を十二等分して人体の運行リズムを表したもので、「子午」とは時刻を意味し、「流注」というのは、体内の血液とエネルギーの流れを意味しています。

つまり、「子午流注」とは血流を生み出すための体内時計にほかなりません。

この子午流注の中で、朝の時間帯は次のようになっています。

◉卯の刻（午前五～七時）：大腸の時間。別名「日出《にっしゅつ》」といって日の出の時間。便を排泄《はいせつ》することによって体から毒素を出し、体を清浄に保つ。

⦿辰の刻（午前七〜九時）：胃の時間。別名を「食時《しょくじ》」といって食事の時間。食物の消化がもっとも活発になるため、この時間帯に食事をすると十分な栄養を吸収することができる。

⦿巳の刻（午前九〜十一時）：脾《ひ》の時間。消化、吸収、排泄のすべてをコントロールして血を生み出す源である脾の働きが活発になる時間。栄養素やエネルギー、血液を全身にめぐらせる。

午前五〜七時に起きるとお通じが出る。そして、食物の消化がもっとも活発な午前七〜九時に朝食をとる。その後、吸収された栄養がエネルギーや血肉の原料として全身をめぐります。

つまり、**漢方の視点から見ると、朝起きてお通じがあり、その後に食事をするのが一日の体のリズムに合わせた本来の食習慣といえるのです。**

一日三食の習慣は日本では江戸時代中ごろから、ヨーロッパでもルネッサンスのころからといわれていま す。それまではずっと一日二食でした。

おもしろいことに、同じ一日二食でも二食の内容が西洋と東洋で異なります。西洋では昼が中心の昼夕の二食なのに対し、東洋は朝夕の二食。古代中国では、まさに胃の時間である朝七〜九時の朝食と、午後三〜五時にとる食事の二食だったと伝えられています。

昔から続いてきたことには意味があります。そのことを考えると、朝食抜きはどちらかというと西洋人に合った方法で、東洋の人間には朝食を食べることのほうが合っているのだと思います。

自然に備わったリズムである体内時計に基づいて食事や睡眠をとると、一日をスムーズに過ごすことができます。

朝食がよいのは、体を目覚めさせ、脳にブドウ糖を与えて活発にしてくれるから。そして何より、朝ごはんの時間が、血液の原料を消化吸収し、血をつくる胃腸の力を一二〇％引き出す時間帯だからです。

血流のためには、やっぱり朝ごはんは食べたほうがいいのです。

③「一週間夕食断食」で胃腸がよみがえる

胃腸を元気にして、血をつくれるようにする。

そのためには胃腸を回復させる必要があります。食事の量、とくに夕食を減らすことが胃腸の回復のためには効果的です。

短期的に一気に改善する方法として、ぼくがおすすめしているのは、「一週間夕食断食」です。腹八分目ができないなら、いっそのこと夕食を食べないという方法です。

夕食を抜くというと、ものすごく抵抗があるひともいらっしゃいます。でも、永久に抜くわけではありません。一週間だけです。

そして本当の断食のように、一日中何も食べないわけではありません。朝ごはんと昼ごはんは食べられます。それに、夕食の代わりに酵素ジュースや固形物のないスープなら飲んでもよいでしょう。仕事の合間のコーヒーや紅茶も、ぼくの断食では禁止ではありません。ダイエット目的でなければ、多少の糖分が入っていてもかまいません。ただ、なるべく刺激の少ないもののほうが無難ですし、せっかくチャレンジするなら朝・昼も添加物の少ないあっさりとした食事にしたほうがより効果的です。

たったの一週間で血がつくれるように胃腸が元気になるだけでなく、体調が劇的によくなるひとも少なくありません。体重が気になるひとは当然ながらダイエットにもなります。毒素が抜けて肌もきれいになります。

そう考えると、挑戦してみようという気になってきませんか？


本来、一日三食というのは食べすぎで、人間の体に合っていない可能性も高いのです。漢方の歴史をみてもわかるのですが、一日二食から三食になったころに病気の種類が変わり、漢方薬の種類も大きく変わっています。

古い時代の漢方薬は「傷寒論《しょうかんろん》」といって、冷えや寒さ、栄養不良といった病気を治す薬が中心でした。身近な薬では寒気がしたときに体を温めて風邪や肩こりを治す葛根湯《かっこんとう》などが古い時代の漢方薬です。当時は食料が十分にとれず栄養が不足したり、住宅や衣類も粗末だったので寒さをしのいだりするのが大変だったのでしょう。

それに対して近代の漢方薬は「温病学《うんびょうがく》」といって、食べすぎや人口過密な都市化から引き起こされる病気に対処するものに変わります。だんだん豊かになって、過食による肥満、糖尿病、高脂血症といったいわゆる生活習慣病を治す薬が必要とされるようになってきたのです。

栄養が不足していたことが原因だった時代から、栄養過多によって病気が起こるようになる時代へ。ちょうどいいバランスを飛ばして、本来の人間の体が必要としている食事から、ずいぶんと変わってしまっているのです。

そう考えていくと、現在の食生活がいかに本来の人間の体のリズムからかけ離れたものかよくわかります。平安時代の貴族の食生活が二食であったため、かつては「二食は優雅、三食は野卑」とまでされていたのです。そして昔の夕食というのも日没ごろ、十八時くらいまでには終わらせていました。現在のように夜の二十時、二十一時という遅い時間帯ではなかったのです。

そのうえ一日三食おなかいっぱい食べるだけでなく、その他に間食のおやつ、寝る前の夜食と、朝から夜遅くまで休む暇なく胃腸を傷めつけつづけています。

食べたものが便になって出てくるまで、実際にはなんと十八時間もかかります。食物が口から胃に入り、胆嚢《たんのう》や膵臓《すいぞう》の消化液の力を借りながら小腸、大腸を通って消化吸収されて便になるまで十八時間。その間、消化器はどこかが常に動いています。

健康診断で大腸の検査をするときに夕食、朝食を抜き下剤まで使ってから行うのはそのためです。胃腸を空っぽにするには、それだけ長い時間がかかるのです。

「断食が健康にいい」という話も聞いたことがあると思いますが、断食の大きな効用は「胃腸を休める」ということにほかなりません。長時間、食事をとらないことでふだん休むことのない胃腸を休めているのです。もちろん、素人が専門家の手を借りずに本格的な断食に挑戦することはおすすめできません。

しかし、夕食断食であれば自分で手軽に挑戦できます。


空腹になると胃が収縮をして掃除を始めるということを先ほど紹介しましたが、断食をするとその掃除をさらに徹底的に行ってくれます。夕食を抜くということは、昼食を食べてから翌日の朝食まで、おなかの掃除が行われつづけるということです。

ひとの小腸にはたくさんの絨毛《じゅうもう》があり、すべて広げるとおよそ畳十畳分にもなります。この畳十畳にびっしりと生えている絨毛こそが栄養素を吸収してくれる器官です。血液の原料は、ここからしか入ってくることができません。いつもは消化吸収に専念しているため、老廃物の処理に手が回らず悪いものを排泄できないのですが、断食をすることで腸を休ませると活力が戻り、働きもよくなるのです。それだけでなく食事を減らすと小腸の細胞そのものが若返ることが医学的にも立証されています。

さらに、断食は腸内細菌にも大きく影響を与えます。胃腸がほとんど空っぽの状態になると、腸内細菌にもエサが届かない状況になります。すると、悪玉菌を撃退して善玉菌を増やすことができるようになります。血液の原料である鉄もそのままでは吸収されにくいのですが、腸内細菌の働きによってより多く吸収できるようになります。

そして、生薬も、腸内細菌によって活性化、吸収されることで初めて効果を発揮するという研究結果もあります。

食事からの栄養はもちろん、サプリメントや漢方なども、体に取り入れるすべてのものに共通して、効くか効かないかは、消化器の働きにかかっているのです。

一週間夕食断食がどうしても難しければ、三食を控えめに食べて、ゆっくりと体質を変える方法をとられてもかまいません。しかし、食事を控えるのはけっこう難しかったりします。人間、ちょっと控えるというのがなかなかできない生き物だからです。

ダイエットに挑戦しようとしたことがあるひとならわかるでしょう。食事の量を減らそうと思っても、いざ食事の時間になって一口、二口と食べるうちに止まらなくなり、結局最後は満腹になってしまったという苦い経験……。ぼくも以前は太っていたのでよくわかります。食事を控えるというのは、並大抵の努力ではできないのです。

あなたが今までダイエットに挑戦したことがあるのなら、一週間夕食断食に取り組んでみてください。体重も減ってくるのでやる気も出ます。始めた当初はおなかがすいてつらいかもしれませんが、二、三日もすればだんだんと慣れてきます。さらに、今まで食べすぎて大きくなっていた胃が一週間夕食断食をするうちに小さくなり、夕食断食が終わってからも腹八分目を心がけることができるようになるのです。

夕食を少なめに食べて、朝ごはんを食べるようにして、というのがゆっくりと目的地に向かう鈍行列車の旅だとしたら、一週間夕食断食は効果が早く表れるため、新幹線で目的地に向かう旅だといえるでしょう。

なかには、夕食を食べすぎてしまったという日があるかもしれません。そんな日の翌朝は、無理に朝ごはんを食べないでください。逆効果になってしまいます。食欲がないときは、無理に食べる必要はないのです。

胃腸を休めることで、胃腸の本来もっている働きはぐっと高まります。この消化吸収の働きが弱っていては、血液の原料は十分に入ってきません。いくら血流をよくしようとしても効果が出ないのです。

ですから、胃腸の改善には最初に取り組んでほしいのです。

4 夕食断食をすると、内側から若返る

夕食断食をすると、血がつくれるようになります。血がつくれるようになるということは若返るということなのですが、それを強く意識することがありました。

実践された四十六歳、四十七歳の方が妊娠されたのです。四十五歳以降の妊娠率は〇・五％しかありません。しかも、このお二人は一人目のお子さんを望まれていて、何度も体外受精に挑戦しても卵子がとれなかったり、着床しなかったりでうまくいかなかった方でした。そのお二人が妊娠された。それまでも夕食断食をすすめてはいましたが、ぼくにとって決定的な自信につながりました。

卵子は決して若返らないといわれています。いくら健康や美容に気を使っても、卵子は老化する。それが現代医学では常識とされています。

そして「卵子の老化＝女性の老化」ともいえます。ツヤやかな肌、きれいな髪、ハリのある体。女性らしい体にはエストロゲンが深くかかわっています。男性でも女性ホルモン注射を打つだけで女性らしい体を手に入れられることをみても、そのことがよくわかるでしょう。

このエストロゲンは卵子の入った袋である卵胞から分泌されます。卵子が老化すれば、エストロゲンの分泌も不安定になり、衰えていきます。

漢方では「子宮は血の海」という言葉が鉄則です。血が増えて満たされてこそ子宮・卵巣系が元気になるということです。血を増やすことは、エストロゲンを増やし若返るということでもあるのです。

実際に四十代後半で妊娠につながったお二人には、相談に来られた当初、血がつくれない気虚体質と血の不足がある血虚体質がありました。それが夕食断食によって改善したのはもちろん、見た目も若返りました。やせてすっきりしたのはもちろんですが、確実にお肌もきれいになったのです。外から化粧品やエステでつくった若さではなく、体の中から、卵子から若返る。まさにインナービューティーを実践されたともいえます。

若返りと血流の関係を実感する実例は他にもあります。

平成の今と、大正時代と、どちらのほうが四十代の出産が多いと思いますか？

内閣統計局には大正十四年から現在までの母親の年齢別出生記録があります。四十五歳以上の母親から生まれた子は平成二十四年には九百六十人ですが、一番古い記録である大正十四年には、一万八千三十七人もいました。さらに平成二十四年では三十二人しかいない五十代の母親から生まれた子も、三千六百四十八人にもなります。人口も半分しかおらず、不妊治療もなかった大正時代のほうが、今よりも高齢での出産がはるかに多かったのです。

この大きな理由の一つが「血流」です。

妊娠中の女性の子宮は血管が太くなり、骨盤内の血流も非常によくなります。血流がよければ卵巣や子宮に栄養分が届きます。多産であった昔の女性は、骨盤内の血流がよく、そのため卵子も若い状態を保てたと考えられています。

また、断食の専門家の方からうかがった興味深い話があります。

「鶏にもときどき断食をさせるところがあります。年をとり卵を産む率が少なくなり、廃鶏になる前の鶏を集めて五〜七日くらい断食をさせます。そうすると羽が生え変わり肌の色がよくなり、卵を産む率がかなりアップする。普通、年をとった鶏の卵は表面にプツプツがあり、壊れやすいのですが、断食後の卵は表面がツルツルで硬く、若鶏の卵と同じになります。断食させると弱っていた鶏などは死ぬのではと考えられる方も多いと思います。ところが一万羽を七日間断食させて死んでしまうのは二百羽くらいです。ほとんど動けないようなゲージに入れて栄養をたっぷりととり太るにつれてみんな元気がなくなる。目は潤んで動作も鈍くなる。ところがエサを与えないと急に目の色が変わってきて、日がたつに連れて生き生きと、キラキラ光るようになる。動作もぴちぴち、体も引き締まってくるのです」

運動もせず、エサを与えつづけられていた鶏が断食によって若返り、卵も若くなっていく。この話は、あまり動かずに食事をしつづけている現代人への警告のようにも聞こえます。

断食には、胃腸を元気にして血をつくれるようになる効果があります。血は女性にとってもっとも大切な要素です。だからこそ、女性の象徴ともいえる子宮・卵巣系が若返るといえるのです。

ただし、食事を数日にわたってとらない完全断食を素人がすることは非常に危険です。もしも完全断食に挑戦する場合は、専門家の指導のもとで行ってください。それに対して一食だけを抜く夕食断食は、安全で効果も高いのです。

ぜひ、夕食断食をして血をつくれるようにしてみてください。

5 パン食よりもごはん食がいい

どんな朝ごはんを食べていますか？

パンとコーヒー、シリアル、ヨーグルトと果物。

それともごはんとみそ汁でしょうか。

二〇一四年に発表されたJA全中（全国農業協同組合中央会）の調査では、全体の半数の四九・八％がパン、三八・七％がごはん、四・四％がヨーグルトだったとのこと。ただ、意外なことに二十代ではごはんが五〇・六％、パンが三四・五％とごはん派が増える傾向にあるようです。お米を作られているJAさんにはうれしい結果だったと思いますが、漢方薬剤師のぼくにとってもうれしい結果でした。

というのは、お米こそ元気の源であり、血をつくるものの一つだからです。

血がつくれない体質を「気虚」とご紹介しました。この「気」というのは現代医学にはない概念の一つです。

元気、病気、やる気、活気、気持ち……。「気」のつく言葉にたくさん囲まれて暮らしている私たち日本人には、親しみやすい概念でもあります。

気とは、「生命活動を維持していくのに必要なエネルギー」のことです。そして、この気は胃腸でつくられます。人間、食べ物からしかエネルギーをとることはできません。胃腸が弱ると元気そのものが失われてしまうことを、昔のひとは経験的に知っていたのでしょう。

この「気」という漢字は略字で、旧字体では「氣」と書きます。旧字体にすると「氣」のもつ本来の意味が見えてきます。漢字を分解すると「气」と「米」とに分かれます。「气」の部分が表しているのはわき上がる湯気、上昇気流であり、「米」は見たまま、ごはんの「米」。「米」を炊いたときに「气」が出ている様子がそのまま漢字になっているのです。また、「米」の部分は四方八方にエネルギーを発散している様子を表しているともいわれます。そうして見てみると、お米から湯気が出ているというよりも、お米からエネルギーがあふれ出ているように見えてきませんか？　まさに、お米は「氣」の源なのです。

『古事記』に出てくる日本の古い呼び名を「豊葦原《とよあしはら》の瑞穂《みずほ》の国」といいます。「豊かな広々とした葦原のように、みずみずしく稲穂が実る国」という意味です。昔から日本人はお米とともにありました。歴史的にも文化的にも米を土台に育ってきているので、お米は日本人に適した食事といえます。日本人の元気をつくる食材として「米」は非常に適しているのです。

そして実際に、体質チェックをして「気虚」のひとの食生活を確認すると、あまりお米を食べないひとが多いのです。「朝はパンで、昼は麺《めん》類が多くて、夜は太るから主食は抜いています」と言われると、ああ、やっぱり……と思ってしまいます。まさに「米」からのエネルギー（気）が足りていない状態なのです。ただ、ふだんお米を食べていないひとでも「氣」のお話をするとみなさん納得されます。なんだかんだいっても、やっぱり根底に日本人の感覚が根づいているのでしょうね。

すべての食事をお米にする必要はありません。ただ、消化の働きと「気」がつくられる時間を考えると、やっぱり朝食にはごはんを食べてほしいのです。そして、実際に気虚の方に朝食を「ごはん」に変えてもらうだけで、体質がよくなってしまうから不思議です。

漢方では、この「気」と「栄養素」が胃腸で取り出され、呼吸で取り込んだ清気が合わさって「血」がつくられると考えます。

血をつくるもとである元気のためには、小麦のパン食よりも、お米のごはん食がよいのです。

6 ほうれん草では鉄分を補えない

血が足りないときに何を食べるかはとても大切です。原料になる成分がしっかり含まれていないと、効果的に血流を増やすことはできません。

血といえば鉄分、鉄分といえばほうれん草というように、血が足りないときの食材として真っ先に思い浮かぶのは、ほうれん草でしょう。

「鉄分がたくさん入っているからほうれん草を食べなさい。根っこの赤いところに栄養が多いのよ」と、子どものころに言われた記憶がある方も多いでしょう。

生理で血を失う女性にとって鉄分を補うことは非常に重要で、最低でも一日一〇㎎必要です。文部科学省の発表している「日本食品標準成分表」を見てみるとほうれん草は、一〇〇g中に一三・〇㎎もの鉄分を含んでおり、数ある野菜の中でも圧倒的に鉄分が多く、鉄分をとるためには理想的な食品でした。

しかし、残念なことにそれは五十年以上も昔の話です。二〇一五年には、ほうれん草一〇〇gに含まれる鉄分は二・〇mg。これは一九五一年の一三・〇mgと比べると、六分の一以下にまで激減しているということになります。鉄分だけではありません。ビタミン類も同様に減っています。

ここまで減少してしまった原因ははっきりしていませんが、連作のため、化学肥料のため、ハウス栽培のように旬《しゅん》以外の季節に収穫するようになったため、などといわれています。確実にいえることは、**かつては鉄分の補給源として非常にすぐれていたほうれん草は、今では不十分な存在になってしまっているということです。**

しかも、栄養価の低下は、ほうれん草だけの問題ではありません。多くの野菜に同様の問題が起きています。

では、どうすればいいのか。そういった事実はあるとはいえ、なるべくサプリメントや医薬品ではなく自然な食品から栄養をとりたいものです。そこで大切にしたいのが「旬」です。

漢方・薬膳《やくぜん》では、生薬や食材のとれる時期や産地にまで非常にこだわります。どこの地域で、いつとれたものかでまったく効き目が異なることを昔から経験的に知っているからです。たとえば婦人科で使うある処方には、夏至と冬至に収穫したものがもっとも効くということで「二至丸《にしがん》」という名前がつけられているほどです。

実際にふだん食べている野菜でも、とれた時期によってまったく栄養価が異なります。年中スーパーで見かけるほうれん草も、旬とそうでないものではまったく別物といっていいほどです。

たとえば冬のほうれん草には、夏のほうれん草の四倍以上ものビタミンCが含まれているのです。

経済的な理由や人間の都合だけで、さまざまな野菜が年中いつでも食べられるようになりました。

しかし自然な現象として野菜には旬があります。旬の野菜は栄養価が高いだけでなく価格も安く、何よりもおいしい。野菜自体の栄養価が昔に比べて下がっているのは事実ですが、なるべく自然を意識して、本来のあるべき時期に野菜を食べたいものですね。

血をつくり、増やすためには、ただ食べるだけでなく旬を意識して食べることがと

ても大切なのです。

7 血流不足にマクロビはすすめない

ヘルシーで健康にいい。

野菜にはそんなイメージがあります。玄米菜食やマクロビオティックが注目され、お肉を避けるひとも少なくありません。ぼくも、マクロビごはんは好きなのですが、徹底したマクロビをずっと続けることはおすすめできません。血が足りなくなるからです。

ぼくのところに相談に来られる方の中にはときどき、お肉や魚をまったく食べない厳しいマクロビをされている方がいらっしゃいます。体質をみると必ずといっていいほど、血が足りない体質なのです。それも、かなり重症です。

顔色は悪く、やせていて、肌もカサカサ。もちろん相談に来られるくらいなので、不妊や生理痛といった婦人科系のトラブルに悩まれています。

この場合、マクロビをやめて肉や魚を食べてもらいます。もちろん、いろいろな思いや信念があって実践されているマクロビをやめていただくのは、それはそれは大変なのですが……。

どうして健康のためによいとされるマクロビオティックで体調を崩したり、血が不足したりしてしまうのでしょうか。

それは、タンパク質の不足に大きな原因があります。

お肉を食べなくてもタンパク質は不足しないともいわれるのですが、実際には肉抜きでタンパク質を補うことはなかなか難しいのです。同じ量のタンパク質を食べたとしても、野菜からでは肉を食べたときよりもずっと吸収率が低いのです。そのために、タンパク質不足に陥ってしまいます。

さらに量だけではなく、バランスの問題もあります。タンパク質は胃腸でアミノ酸に分解されて吸収されます。このアミノ酸には九種類の必須《ひっす》アミノ酸というものがあって、人間の体内ではつくることができません。アミノ酸を使って筋肉や肌、赤血球といった組織、ホルモンやコラーゲンといった人体に欠かすことのできない物質がつくられるのですが、必須アミノ酸が不足すると、他のアミノ酸がいくらたくさんあっても組織やホルモンなどをつくれなくなります。そして植物性タンパク質だけでは、この必須アミノ酸が不足しがちになり、健康を維持できなくなってしまうのです。

ちなみに、厳格にマクロビをされていた方ですが、お肉を食べ出したとたん、ものすごく元気に！

それは、びっくりするくらいの回復でした。顔色は明るくなってツヤも出ましたし、だるさ、疲れやすさも解消。生理痛などのトラブルも格段に楽になりました。何よりも喜ばれたのは、体調がすぐれなくて家に引きこもりがちだったのが、元気に仕事に出られるようになったことでした。

もともとマクロビオティックというのは、日本人の方が明治時代に薬膳理論などをもとに考案した食事の仕方です。しかし日本ではあまり支持されず、アメリカで人気を博したものであるという背景は知っておいてほしいのです。

日本人とアメリカ人の食生活や体格を比べると、明らかに異なります。日本人女性でＢＭＩ三〇を超えるひとは人口のたった三・四％しかいません。

それに対してアメリカは三三％。なんと日本人の十倍です。すさまじいまでの肥満大国なのです。アメリカに行ったことがあるひとはわかると思いますが、ものすごく食べます。しかも脂物、揚げ物のオンパレード。何といってもハンバーガーを生んだ国ですから。

そういった状況で、マクロビオティックの玄米菜食を実践すれば大きな効果があったことはかんたんに想像できます。一方で日本では極端な肥満は少なく、体型的にやせすぎと判断される女性も少なくないのです。まだ、ふくよかな方がされるのならいいのですが、厳格な玄米菜食やマクロビに走って婦人科系のトラブルを起こされる方には、なぜかもともとやせていた方が多いのです。

体型、とくに体脂肪と女性ホルモンは深く関係しています。女性ホルモンの原料がコレステロールだからです。

そのため、初潮が来るのは年齢よりも体脂肪率が関係しています。体脂肪率が一七％になると女性ホルモンがつくられ初潮がくるのです。一九〇〇年代に平均して十六歳台だった初潮年齢が、一九六〇年代に十三歳台になり、現在は十二歳ころとなっているのは、栄養状態がよくなって体脂肪率が一七％になるのが早くなったからともいえます。大人になってからもＢＭＩが一八・五を切ると女性ホルモンが十分につくれなくなり、生理不順や無月経といった婦人科系の不調が出てきます。

健康的なイメージのマクロビや玄米菜食ですが、タンパク質の不足は血の原料不足に直結します。体重を極端に落とさないこと、そして栄養バランスを考えるとあまり長く続けないこと、完璧《かんぺき》を求めないことも大切です。とくに生理のある女性にとっては、血不足を招きかねないので気をつけてほしいのです。

8 血を増やしたければ肉食女子になりなさい

肉食女子といっても、狙《ねら》った男子をガンガン攻めるという意味ではありません。**お肉を食べてほしいのです。そして、肉は肉でも、牛でも、豚でもなく鶏肉です。**

ほうれん草と鶏肉の一〇〇g中の鉄分の量を比較してみると、ほうれん草は二・〇mg、鶏もも肉は二・一mgと一見同じような量に見えますが、野菜の中の鉄分とお肉の中の鉄分はまったく違います。お肉の中に含まれているのはへム鉄、野菜の中に含まれているのは非へム鉄です。

へム鉄というのは鉄原子に有機化合物が結びついているのですが、溶けやすくイオン化しやすいのが特徴で、吸収率が高い。非へム鉄の吸収率がたったの五%しかないのに対して、へム鉄の吸収率は二五%。同じ量の鉄分でも、ほうれん草を食べるよりも鶏もも肉を食べたほうが、なんと五倍もたくさん鉄分が吸収されるのです。

そして、いうまでもなくお肉はタンパク質の塊です。血の原料である鉄分とタンパク質の両方を一度にとることができます。

漢方の食養生には血を増やす食材がいろいろとありますが、真っ先にあがるのが烏《う》骨鶏《こっけい》。これはとさか、皮、骨に至るまで烏《からす》のように黒いことから名づけられた鶏です。鶏肉の中でもずば抜けて栄養価が高いことが知られています。しかしかなり貴重で高価な品種のため、一羽三千円、卵一個五百円ほどもします。

そのため、**ふだんから食べるには普通にスーパーで販売されている鶏肉でいいでしょう。栄養価の面を考えると、少し奮発して地鶏を選んでいただきたいところです。**

薬膳で鶏肉は「気血を補い、体を温め、胃腸を助ける滋養食」といわれています。江戸時代に書かれた『本朝食鑑《ほんちょうしょっかん》』という書物でも「内臓を補強し、脾臓と胃を整え、婦人病と産後にいい」とされています。

鶏肉が血不足に効果的ということは、中国では一般的にも広く知られている知識です。ぼくの漢方の師匠は中国人の女性漢方医なのですが、出産後一か月で鶏を十羽はスープにして食べたと話していました。

さまざまな鶏肉料理の中でも、血を増やすのにもっともおすすめしたいのは、参鶏《サムゲ》湯《タン》。焼き肉店や韓国料理店で食べることができますが、一羽の鶏肉の中に、高麗人参《こうらいにんじん》、なつめ、松の実、栗《くり》、にんにく、もち米を詰めてコトコトと時間をかけて煮たものです。鶏肉はもちろん、入れてある食材はすべて胃腸の力を高めて、血をつくるものばかりの薬膳料理です。贅沢《ぜいたく》に烏骨鶏で作ると烏骨鶏湯《オゴルゲタン》という名前になります。

家庭で食べるときには、鶏肉を使った料理なら何でもよいのですが、骨の部分が血をつくる力が高いので、骨つきの手羽先や手羽元をスープ仕立てにするのがおすすめです。骨つき鶏のスープを作って、初日はそのまま、次の日はトマト仕立てにして、最後はカレーで締める、というのもとてもおいしいです。

薬膳というと難しく考えてしまいますが、血流を増やす食材として、鶏肉を気軽に食べてもらうのが一番です。

9 下腹ぽっこりは血流の大敵

胃腸が弱っていて血がつくれないひとは、ひと目でわかります。
それが、下腹ぽっこり体型です。

下腹がぽっこり出ているのは、決して脂肪だけが原因ではありません。かといってよくいわれているように、宿便がたまっているからでもないのです。

下腹が出るのは、内臓下垂が原因です。

内臓下垂というのは読んで字のごとく、内臓が垂れ下がっている状態です。内臓というのは、骨などで場所が固定されていません。他の内臓や周囲の組織に靭帯《じんたい》や膜でくっついているか、筋肉によって位置が定められています。そのため、筋肉が弱ってくると位置を支えることができなくなり、下へ下へと垂れ下がってきてしまうのです。

そして、位置が下がると同時に働きも下がります。

下垂が起こりやすいのは胃や腸です。内臓下垂の中でもっともよく聞くのは胃下垂でしょう。胃下垂のひとのレントゲンを見ると、胃の上部は正常な位置にあるものの、下部が伸びているのがわかります。胃下垂になってしまうと、胃の動きが悪くなります。ひどい胃下垂になると、消化する力が正常な胃に比べて三分の一になるといわれているほどです。そのため胃に入った食物がうまく消化されずにいつまでも残ってしまい、胃の中に食物がとどまった状態が続いてしまいます。

また、腸が下垂しても同じように動きが悪くなります。腸が動かないために便がいつまでもとどまり、便秘を引き起こします。

これでは、胃の強い収縮も、それに続く腸の掃除もできません。血がつくれない状態そのものなのです。さらに、内臓の一番下にあるのが子宮であるため、内臓下垂は子宮の圧迫にもつながり、女性の力を直接的に下げてしまいます。

漢方では、この内臓下垂のことを中気《ちゅうき》下陥《かかん》といいます。「中」というのはおなかのこと。おなかの気（＝力）が弱って、下に落ち込んだことを意味します。西洋医学的には治療薬のない胃下垂や内臓下垂ですが、漢方には中気下陥専用ともいえる漢方薬さえあります。

そして、中気下陥というのは血がつくれない体質である「気虚」の悪化した状態ととらえられています。下腹ぽっこりとは、重症の血のつくれない状態である可能性が高いのです。

そのため、漢方では体質改善の際に優先的に治していきます。胃腸の状態を改善しないままでは血がつくれず、何をしても効果が出にくくなるためです。

解決する方法は二つ。

一つ目は、**内臓下垂のひとに多い早食いや大食いをやめること。**よくかんでいると時間がかかるのでゆっくり食事が胃に入っていくのですが、あまりかまないとあっという間に胃に入っていきます。しかもかんでいないので消化に時間がかかる。その結果、胃が重くなって下に下がっていきます。そのために、よくかんでゆっくり食べるというのが大原則になります。

大切なのが二つ目です。

それは、**筋肉を鍛えることです。**筋肉といっても腹筋をがんばって六つに割るということではありません。いわゆる一般的な腹筋運動で鍛えられるのは表面の筋肉で、内臓を支えておなかに収めている深層の筋肉とは異なります。そのためいくら一生懸命に腹筋をして表面の筋肉を鍛えても、下腹ぽっこりは治りません。

肋骨《ろっこつ》と骨盤の間、内臓の入っている空間の部分を腹腔《ふくくう》といいますが、この腹腔を囲む四つの筋肉（腹横筋、多裂筋、横隔膜、骨盤底筋群）がインナーマッスルです。腹腔を上下左右から囲んで圧力をかけることで初めて、内臓は正しい位置に収まることができます。

このインナーマッスルを鍛えるのに一番よい方法が、ドローインです。ドローインというのは「引っ込める」という意味で、文字どおりおなかを引っ込める方法です。

このドローインがおもしろいのは、単にインナーマッスルを鍛えるというだけでなく、動きそれ自体が内臓を正しい位置に戻すものであることです。そのため、胃腸の働きの正常化を早く実感することができます。

【内臓下垂解消三十秒ドローイン】

①背筋を伸ばしてまっすぐ立つ（このとき、肩を少し引く感じで肩甲骨をぐっと引き寄せること）。
②おなかを膨らまして息を吸う（吸いきったらおしりの穴をキュッと締める）。
③おなかをへこませながら息を吐く（おへそを中心におなか全体をへこませるイメージで、背中とおなかがくっつくくらい息を吐く）。
④へこませた状態を三十秒キープする（このとき、自然な呼吸をしてもよい。おしりの穴はキュッと締めたまま）。

この動きを一セットとして三回くらい行います。一日に何度しても大丈夫です。三十秒ドローインは慣れてくると家事や作業をしながらでもかんたんにできます。インナーマッスルを鍛えて内臓が正しい位置に戻ってくると、胃腸の力が目に見えて回復してきます。

下腹ぽっこりがたいらになっていくのはもちろんですが、代謝も上がりますし、ストレスもなくなり、くびれができてスタイルもよくなるし、いうことなしです。

このドローインというのは、近年になっていわれた言葉ですが、ヨガには「ナウリ」という動きがあります。「内臓攪拌《かくはん》」という意味で、文字どおり呼吸をしながらおなかを引っ込めたり出したり、内臓を左右上下前後へと動かしたりします。ドローインよりも激しい動きですが、このナウリはまさに胃腸の働きを正常化するためのもの。インド、中国、日本と場所を問わず、東洋では共通して古来、内臓を整えていくことを重視しているのです。

食べ方を変えていくと同時に、物理的に内臓を正しい位置に戻していくことも、胃腸の働きを整えて血をつくるためにとても効果的です。

10 命への感謝が血をつくる

胃腸の働きを高めて血をつくる方法を見てきました。

食事を自分にとってちょうどいい量にすること。

血をつくる食材をしっかりと食べていくこと。

そんなあたりまえのことが大切だということに気づかされます。

今の日本人は食べすぎや早食い、あるいは食事内容の偏りのために胃腸が弱っています。朝の慌ただしい時間をパン一枚ですませてしまったり、スマホの画面を見ながら食事をしたり、食べきれないほどの料理を注文しておなかがパンパンになって残したり。

食事そのものをおざなりにしすぎているのではないか、ということをふと感じます。カウンセリングをしていても、みなさん口々に忙しいと言われます。時間に追われてしまう一方で、おいしいものを求め、ストレスを解消するために甘いものを食べる。

それが悪いことだとは思いませんが、食事とは何だろう、と思うのです。

ぼくは、心と体を見つめてもらうリトリートという一泊二日の滞在型セミナーをときどき開催します。ウオーキングやヨガ、グループカウンセリングなどのいろいろなワークショップを行うのですが、参加された方にとってもっとも印象に残るのが食事だと毎回のようにいわれます。

なかでも玄米ごはんを土鍋《どなべ》で炊き、みそ汁を作る料理の時間があります。火でお米を炊いて、土鍋のふちから蒸気が出るのを見ながら、食事が出来上がるのを待ち、そして食べる。たったそれだけのシンプルな時間なのですが、

「ていねいに料理をしたのは本当に久しぶり」
「こんなにゆっくりと味わって食事をすることなんてなかった」

と感動されるのです。

ごはんを口に運んで、よくかんで食べる。かめばかむほどに味わいが出ます。季節の野菜のやさしい味が出たみそ汁は、温かさが心と体に染み渡ります。本当に質素な

食事ですが、とてもおいしいのです。ふだん、一日に二度、三度と食事を作って食べているはずなのに、忙しさや時間に追われた作業になってしまっているのかもしれません。

「いただきます」の本来の意味は、動物や植物といった食べ物そのものから「命をいただく」ことです。そんなあたりまえで大切なことをわたしたちは忘れてしまっているのかもしれません。食べ物一つひとつ、命をいただいていることに感謝をすると、食事を大切にできるようになります。自然と味わって食べるようになります。

今日からごはんを食べるときに、あらためて「いただきます」の気持ちを添えて食べてみませんか？　すると不思議と、ゆっくりとかんでごはんを食べている自分に気がつきます。そして、ゆっくりと食べるから満腹にならなくても少ない量で満足できる自分に驚きます。

そうすれば胃腸が弱ることはありません。血がつくれずに起こる不調にも悩まなくてすみます。

血がつくれないのは、胃腸の働きが低下しているからということを学んでいただきました。

この章でご紹介した方法を少しずつでも行うことで着実に胃腸の働きは高まり、血がつくれるようになっていきます。

食事をして血をつくることは、自分自身の命を養うことです。

「いただきます」の気持ちを添えて食べることで、いただいた命があなたの命をもっともっと輝かせてくれるのです。

第四章

元気な血を増やすための眠り方6つの常識

血を増やすためには、二十三時までに眠るだけでいい

第三章でご紹介した方法を実践して、胃腸を元気にし、栄養がとれるようになる。

血をつくる力が回復してくれば、その後、血を増やすためのコツは非常にシンプルです。

「夜二十三時までに眠る」

ただ、それだけです。

しかし、とても重要なことなのです。

漢方の基本的な考え方に「陰陽」があります。全宇宙にあるすべてのものが「陰」と「陽」に分けられるという考え方です。

陰は静かなもの、陽は活動的なものです。わかりやすいたとえをすると、太陽が出ている昼は陽であり、夜になると陰。この陰と陽が一定のリズムで入れ替わってバラ

ンスがとれている理想的な状態が「健康」であるとされています。陰と陽は一日の中でも入れ替わります。

現代医学からみると、陰と陽の入れ替わりは自律神経の入れ替わりと深い関係があります。自律神経は活動的な「陽」である交感神経と、鎮静的な「陰」である副交感神経の二つから成り立っています。そして、日中の活動している時間は交感神経が優位で、夜の静かな時間帯になると副交感神経が優位になります。まさに、漢方の陰と陽の入れ替わりとぴったりと一致するのです。

漢方では午前〇時を挟んだ前後二時間（子の刻）は、体の陰と陽が入れ替わる時間であり、その時間に眠っていることが非常に重要とされます。つまり、二十三時以降には寝ているということがポイントです。中国のことわざには「一度の食事よりも子の刻に睡眠をとるほうが大事だ」という意味の言葉があるほどです。

この陰と陽の入れ替わりのあと、一〜三時が血をつくる時間。陰と陽がうまく入れ替わって初めて血がしっかりとつくられます。この時間に寝ていない状況が続くと血がつくれないだけでなく、血の浄化もできないために、あらゆる病気を引き起こす原因になるのです。

血液がつくられる仕組みに一日のリズムがあるということが最新の研究から知られるようになってきました。血液の血清中に含まれる鉄分の量も、一日の中で変化するサイクルがあります。しかもちょっとした変動ではなく、とても大きな変動なのです。早朝にもっとも多くなり、夜間睡眠中にもっとも少なく、朝と夜の差が二倍以上になることさえあります。不思議なことに、赤血球の数も午前中に多くなり、午後に減少します。

なかでも注目されているのが「造血幹細胞」です。造血幹細胞というのは、血液の中にある赤血球、白血球、血小板、リンパ球などのさまざまな種類の血液細胞のもとになっている細胞で、ふだんは骨髄にあって血液をつくっています。この細胞までもが、太陽の光によって変動することが発表されました。太陽の光のリズムを自律神経が伝えることによって、造血幹細胞が増えたり、血球をつくったり、周期的に骨髄から全身へとめぐったりしているという説まであり、これが全身の再生につながっているという可能性が示唆されています。

血液のもととなる細胞が、太陽の光に合わせて全身の若返りにまで関係しているかもしれないのです。

眠らないと血がつくれない。増やせない。
陰と陽の入れ替わりが血をつくることに影響する。

そのことを経験的に知っていた昔のひとは、血の回復のために睡眠をとても大切にしていました。まるで現代の最新医学でわかってきた、太陽の光が自律神経を動かして造血システムを左右する。その事実をピタリといい当てているようです。

カウンセリングの際にも、就寝時間と起床時間をすべてのひとに確認します。やはり、睡眠時間が短かったり、就寝時間が遅かったりするひとほど、血が足りない「血虚」の状態がひどくなっています。

睡眠と血には、非常に深い関係があります。原因不明の不眠症に悩まされていたのが、実は貧血が原因だったということも少なくありません。

血流が眠りをつくり、逆に眠りが血流をつくるというふうに、互いに影響を与えあいます。胃腸を元気にして血がつくれるようになったら、次は眠りを見直して血をどんどん増やしていきましょう。

まずは、二十三時までに眠れるように、睡眠についての常識を見ていきましょう。

1 夢を見るのは、血が足りないから

二十三時までに寝ようと思っても、血が足りないひとはなかなか寝つけません。血が不足していると、昼間はだるく横になって眠りたくなってしまうのにもかかわらず、夜になると眠れなくなってしまうのです。

「夜、眠れないですよね」と尋ねると、かなりの確率で「はい」と答えられます。眠たいのに眠れない。これは、血が不足している血虚の方の特徴です。目が冴《さ》えて眠れないというわけではなく、疲れているのに眠れなかったり、寝ても熟睡できずに途中で何度も起きたりしてしまう。

たとえ眠れたとしても朝起きたときに、寝たはずなのに全然疲れがとれていない、

というのも血が足りない方によく起こります。眠りは一日の疲労をとるはずのもの。それにもかかわらず、起きたときに疲れがとれていないのは、「眠れていない」ためです。

そして、**血が足りないひとはたくさん夢を見ます。**熟睡ができず眠りが浅くなるためでもあるのでしょう。楽しい夢ならいいのですが、とても残念なことに、悪夢が増えてしまう傾向にあります。ちょっといやですよね。

漢方の医学書である『金匱《きんき》要略』に「魂は夜、肝に隠れる」という言葉があります。漢方で肝とは血をたくさん蓄えているところという意味があります。「魂」というのはスピリチュアルな意味だけではなく、精神という意味でとらえるとわかりやすいかもしれません。「血の中に精神をつけておく」くらいの表現だと少しは伝わりやすいでしょうか。

これは、眠っているときに人間の精神は血によって疲れを癒《いや》しているということを意味しています。血が足りなくなると、魂は隠れることができなくなって、ふらふらとさまよい出てしまう。その結果夢を見ると考えられています。適度な夢ならいいのですが、あまりに夢をたくさん見るようだと夜間に精神を回復させることができなくなり、精神状態が悪くなってしまいます。

脳は睡眠中に休んでいます。

レム睡眠、ノンレム睡眠という言葉を聞いたことがあると思いますが、レム睡眠のときに記憶の整理をし、ノンレム睡眠のときに完全に脳は休むと考えられていました。ところが、脳が休んでいるはずのノンレム睡眠の間も、脳で使われるエネルギーは起きているときと実はあまり変わらないそうです。

活動していないはずの脳で何が起こっているのでしょうか。

最新の脳科学の研究では、活動していないときに脳のデトックス、大掃除が行われていることがわかってきました。この大掃除に大量のエネルギーが使われていたのです。脳細胞は起きている間、細胞からの老廃物の排出をほとんど行っていません。起きている間は他の仕事に集中し、掃除を後回しにしているのです。

人間の体には血管と同じように、リンパ管が張りめぐらされています。リンパ管は下水管にも似た働きをしていて、細胞からの老廃物は血液に直接流れ込むのではなく、リンパ管に流れてから、血液にまた取り込まれます。しかし、脳にはリンパ管がないといわれています。そのため、脳は完全に休止状態になると脳細胞を小さく縮めてスペースをつくり、そこに脳脊髄液《せきずい》を満たすことでリンパ管の代わりをつくります。そして、老廃物を集めて脳をめぐる血管へと排出していくのです。

老廃物を出す大掃除ができて初めて、脳は元気に活動することができます。

誰しも徹夜や睡眠不足を経験したことがあると思いますが、老廃物がたまりっぱなしになっていたのかと思うと、翌日のあのぼーっとした状態や、効率が悪くなることに納得できます。

ちなみにこの老廃物、大掃除ができないとたまっていくことがわかっています。とくに怖い老廃物にアミロイドβ《ベータ》タンパク質があります。アルツハイマー型認知症のひとの脳には、このアミロイドβタンパク質がたくさん蓄積しています。病気を発症する原因物質がこのアミロイドβタンパク質なのです。アミロイドβタンパク質の除去スピードは、睡眠中の脳のほうがはるかに速いこともわかっています。

脳の掃除は熟睡している間にしかできません。そして、回収された老廃物は血流によって脳の外へと運び出されるのです。

この仕組みを聞いたとき、「魂は夜、肝に隠れる」とは、そういうことだったのかと妙に納得しました。脳が脳脊髄液で満たされて老廃物を出すことを意味していたのです。ふらふらと魂が遊びに出て夢を見てしまうようではいけません。

そして血が増えてくると、しだいにこの眠りは変化していきます。夢も少なくなり、熟睡できるようにもなります。

夢を血が足りているかどうかの目安にしてみましょう。

2 恐れるべき不眠スパイラルから抜け出す

眠らないと血がつくれない。

血が足りないと眠れない。

じゃあ、血が足りなかったらいつまでも眠れないし、眠れないから血も増えないいんじゃないの？　と思われたかもしれません。

実は、困ったことにそのとおりなのです。

血が足りないひとが一番困るのが、この事実です。これをぼくは「不眠スパイラル」と呼んでいるのですが、**不眠が血不足を招き、また不眠を悪化させるという恐ろしい状況になってしまうのです。**不眠のひとがいつまでたっても不眠から脱出できないのは、この不眠スパイラルに陥っているからです。

眠れなくて困るなら、ここで睡眠薬、と薬の力に頼るひともいるのですが、できるだけ避けたいですよね。睡眠薬にはいくつかの種類があるのですが、もっとも広く使われているのが「ベンゾジアゼピン系」というお薬です。日本は世界で一番この薬剤を使用しています。二〇一〇年には国連の国際麻薬統制委員会の年次報告で、ベンゾジアゼピン系睡眠薬の使用量が他の国と比べて突出して多いことから、不適切な処方や乱用の可能性を指摘されているほどです。

とくに年齢の高い方では、アルツハイマー型認知症のリスクが高くなることがわかっています。ベンゾジアゼピン系を飲んでいる高齢者は、そうでない高齢者と比べて四三～五一％もアルツハイマー型認知症になりやすい。ベンゾジアゼピン系の使用量が多く、使用歴が長いほどアルツハイマー型認知症になるリスクが高くなる。これらのことも明らかになっているのです。

睡眠薬を使って眠ったことがありますが、普通の眠りとは明らかに異なります。まるで強制的な睡眠のように感じます。アルツハイマー型認知症が増えることをみても、もしかすると本来の脳を休めたり、血を増やしたりする睡眠システムとは異なるものになっているのかもしれません。

もっとも、深刻な不眠症でどうしても眠れずに睡眠薬を使わざるをえないときもあるかと思います。ただ、その場合でも三か月など、短期的な使用にとどめることが大切です。

じゃあ、眠れないひとはどうしたらいいのか。

逆説的なのですが、**不眠スパイラルから抜け出す方法は、血を増やすことです。**

血が足りないひとは、その前の段階として胃腸の力が弱くなっています。第三章でご紹介したように、元気な胃腸をつくることで徐々に眠りの状態はよくなっていきます。そして血をつくれるようになると、眠りの質がよくなり、さらに血が増えていくという好循環が生まれるのです。

せっかく二十三時までに寝る気になったのに、眠れないのでは非常にもったいないですよね。自然な方法で、気持ちよく熟睡して血を増やすための方法をお伝えしていきます。

3 あなたの眠りと血流をつくるのは、朝日

寝室では遮光カーテンを使っていますか？

やめましょう。

夜の安眠を約束しているかのような遮光カーテンですが、実は、不眠の原因になることのほうが多いのです。

遮光カーテンを開けてレースのカーテンで眠る。これが、よい眠りを導く基本です。

人間は眠っていても、夜から朝にかけてしだいに明るくなっていく変化を感じています。明るさの変化を感じて体がゆっくりと覚醒《かくせい》し、爽《さわ》やかな目覚めにつながっているのです。

ところが遮光カーテンを使っていては、暗闇《くらやみ》の中で叩《たた》き起こされるようなものなので、目覚めが悪くなってしまいます。窓越しでもいいので朝日を浴びておくことが大切です。

そして起きたあとは、太陽の光を五分ほど浴びる。たった五分でいいので、直接太陽の光を浴びること。これが不眠を解消するうえで大切なポイントです。

朝日は単に目覚めだけに影響するわけではありません。

夜の眠りに大きく影響します。

これまで何度か体内時計の話が出てきました。人間のリズムをコントロールしているのが体内時計です。そして、体内時計を左右しているのが太陽なのです。

なかなか規則正しい生活というのは難しいですよね。どうしても仕事の都合で寝るのが遅くなったりしてしまいます。すると、体内時計が狂ってきます。飛行機の時差ボケが一番わかりやすいですが、体の中にある時計と実際の時間が合わなくなってしまうのです。

このずれをリセットするのが朝の太陽。朝日を浴びることで体内時計のリズムが正常化します。

左脳と右脳の間に挟み込まれるように、「松果体」というものがあります。この松果体こそが、体内時計を調節するホルモンであるメラトニンを分泌します。メラトニンは睡眠ホルモンとも呼ばれ、太陽の光を浴びると減少して、脳が目覚め、そして十五〜十六時間後にまた分泌が始まります。この眠りのホルモンが出てくると自然と眠くなります。

逆算すると、夜二十三時に寝たいのなら、朝七時には太陽の光を浴びる必要があるのです。

もともと動物には頭のてっぺんにもう一つ目があったといわれています。カマキリやトカゲの一部にその名残がありますが、光を感じて体温やホルモンバランスの調整を行っているのです。進化の過程でなくなりますが、そのもともと目であった器官が脳内の松果体として残りました。太陽の光のリズムによって睡眠ホルモンを分泌するのは、そのときの名残ともいえます。

このメラトニンには活性酸素を退治する働きもあるため、若返りや抗がん効果もあるとされています。しかし、若いときには大量に分泌されているのですが、年をとるとだんだんと減少してきます。年をとるとともにだんだんと睡眠時間が短くなりますが、睡眠の質にもこのメラトニンがかかわっています。

また、「貧血＝鉄不足」があるとメラトニンそのものがつくられなくなってしまいます。鉄不足になると幸せホルモンであるセロトニンがつくられなくなってしまうことは、第一章でふれました。メラトニンは、セロトニンからつくられています。そのためセロトニン不足はメラトニン不足に直結するのです。貧血でうつや不眠が起きてしまうのは、同じ鉄不足が大きな原因です。

このメラトニンとセロトニンにはシーソーのような関係があって、片方の量が増えるともう一方が減ります。夜にメラトニンがつくられると、その原料であるセロトニンは減るというぐあいです。

夜になると気持ちが落ち着いてくるのは、幸せホルモンであるこのセロトニンの減少も影響しています。通常の範囲内であればいいのですが、セロトニンが不足気味の場合は、夜に問題が起きてきます。血不足のひとの中には、夜になると気分が落ち込んだり、うつっぽくなったりするひとも少なくありません。これは、鉄不足のためにセロトニン量が十分でないため、夜にメラトニンがつくられるとその分セロトニンの量が「うつ」的な範囲まで減少してしまうことが理由として考えられるのです。

セロトニンやメラトニンの原料になっているのは、大豆や動物性タンパク質に含まれるトリプトファンです。やはり「タンパク質と鉄分がしっかりあること＝血がたっぷりとあること」がとても重要なのです。

「生活が夜型だから、体内時計もそれに合わせてずれていくのではないか？」と質問されることがありますが、そんなことはありません。

メラトニンは昼間の睡眠では分泌されないのです。昼夜逆転の生活をしていると昼間に眠ることになりますが、このときの睡眠ではメラトニンが分泌されないことがわかっています。それは、朝日を浴びることができないために、本来の人間のもっている体内時計が働かないためです。

実際、夜勤の仕事をするひとは、全身の体内時計やホルモンリズムが狂ったままになるために、うつや循環器、消化器の病気が多いこともわかっています。

漢方では一日の太陽のリズムをもとにして生活することを基本としています。そして、それは現代医学でも重要であることが明らかになってきました。厚生労働省が睡眠指針を発表していますが、その中でも「夜更かし避けて、体内時計のリズムを保つ」「朝目が覚めたら日光を取り入れる」と明記されているほどなのです。

日の出とともに起き日没とともに休む。血を増やすためにも、そんな人間本来の基本的な生活リズムをぜひ大切にしてみましょう。

【睡眠ホルモンを出して二十三時に寝るために】

① 朝日を七時までに浴びる（太陽の光を浴びた十五〜十六時間後に睡眠ホルモンが分泌されるため）。

②寝る一時間前には照明を暗くする（強い光が目に入ると松果体が反応して睡眠ホルモンが出にくくなります。とくに青色の光はホルモンの分泌を邪魔してしまいます。スマホのブルーライトも要注意です）。

③起きる時間を固定する（毎日、起きる時間が異なると体内時計が狂ってしまいやすくなります。起きる時間が二時間以上ずれると体内時計が戻りにくくなるので、休みの日でもあまり起きる時間をずらさないほうが効果的です）。

4 寝る前の「完全呼吸」で睡眠の質を劇的に高める

大きく深呼吸してみてください。

体がポカポカしませんか？

血の不足がある方は、血流が悪いために酸素が届かず、全身が軽い酸欠状態にあります。酸素がなく燃えていない状態です。そのため、深呼吸をするだけで酸素が全身にめぐり、細胞の新陳代謝がよくなって体が温かくなります。

深呼吸はちょっとした工夫をするだけで、とてつもなく大きな効果を発揮します。

漢方には「魄《はく》」という概念があり、心と体を結びつけるものだとされています。魄は脈打っていると考えられていて、この脈打つリズムが呼吸のリズムと一致しているのです。

呼吸というものは不思議なもので、意識して速くすることもできれば、遅くすることもできます。その一方で何も考えなくても呼吸しています。いちいち意識しないといけないとしたら大変ですよね。そのため呼吸は意識と無意識をつなぐものとして、洋の東西を問わず心の安定に役立てられてきました。

瞑想《めいそう》も座禅もヨガも、形は違えど呼吸をコントロールすることで心の安定をめざすものです。悩みを解決したり、穏やかな気持ちになったり、悟りを開いたり。すべて呼吸を通じて心に働きかけているのです。

とくに座禅では、調身、調息、調心という言葉があります。身を整え、呼吸を整え、そして心を整えていくという流れです。心と体を呼吸がつないでいるのです。ゆっくりと呼吸することで魄のリズムがゆっくりになり、心が安定すると考えたのでしょう。

最新の脳科学の世界でも、同じことがわかってきました。

ポイントは、脳にある「扁桃体《へんとうたい》」です。サルの扁桃体を壊すと怖がっていたヘビにも平気で近づくようになるという実験から、扁桃体は恐怖やストレスを感じる中心と考えられています。また、扁桃体は近年患者数が増加している「うつ」を引き起こす脳の仕組みともかかわっています。強い不安や恐怖を感じると扁桃体が過剰に働き、全身にストレスホルモンが大量に分泌されます。この状態が長期間続くと脳の神経細胞に栄養が届かなくなり、脳の萎縮《いしゅく》や意欲の低下につながってしまうのです。

この扁桃体の脳波を調べると、呼吸とぴったりと一致していることが明らかになりました。不安が強くなると扁桃体の波形と呼吸が同時に速くなります。また、自分の意志で呼吸のペースをゆっくりにすると、扁桃体の脳波が鎮まって不安が和らぐことがわかっています。

漢方の「魄」の働きと現代医学の「扁桃体」の働きは、まったく同じといってもよいほど似ているのです。

不安があるとき、落ち着こう、落ち着こうといくら考えても不安になるばかりで、心はなかなか穏やかになりません。しかし、呼吸という体からのアプローチを使うことで脳に直接働きかけることができるのです。

この呼吸をゆっくりにするときにおすすめなのが、「完全呼吸」です。完全呼吸というのは、おなかでする腹式呼吸と胸でする胸式呼吸の両方を一回の呼吸で同時にする方法です。普通のひとが呼吸をする場合、「吸う：吐く」は「一：一」になることが多いのですが、これを「一：二」の割合で行います。つまり、「一吸ったら二吐く」ということ。ヨガでも座禅でも呼吸をする際には、「一：二」の比率で行うことが少なくありません。

目安としては、吸うのを四秒、吐くのを八秒です。呼吸は吸うときに活動的な交感神経が優位になり、吐くときにリラックスの副交感神経が優位になります。そのこともあって、吐くほうを長くしているのでしょう。

【完全呼吸の方法】

①息を吐き切る。
②鼻から息を吸う（このとき、腹式呼吸でおなかで吸って、続けて胸式呼吸で胸いっぱいに吸い込みます）。
③息を止めて、おしりをキュッと締める。
④口から一息に吐く（吸ったときの倍の時間をかけて、おなかと背中がくっつくくらい吐き切ります）。
⑤これを三回繰り返す。

完全呼吸は、一日の中でいつ、何度してもよいのですが、おすすめは寝る前です。一日の心と体の疲れをリセットできますし、リラックス効果で眠りにも入りやすくなります。

寝る前の完全呼吸は横になって行いましょう。三回の呼吸が終わったら自分のペースで自然な呼吸をしていきます。

このとき、その日にあったよかったことを思い出すとより効果的です。脳は寝る前の感情を寝ている間もずっと引きずるといわれています。

楽しかったこと、うれしかったことを思い描いて寝ると、就寝中も幸せな気持ちが続きます。

人生の約三分の一の時間を睡眠にあてているのですから、それだけ幸せな時間が長く過ごせます。たった三回の呼吸で幸せになれると思えば、やってみて損はありませんよね。

実際に漢方を飲んでもらうときに、この方法を試してもらいます。すると眠りの質がよくなるだけではなく、漢方もより効くようになるひとが多いのです。

心がよい状態でいるときのほうが、体がよくなろうとする力も高くなるということでしょうね。

二十三時までに眠ることはもちろん、眠りの質も血を増やすうえで非常に重要です。

ぜひ、よい眠りになるように取り組んでみましょう。

5 湯上がりは冷えるから眠りに効く

睡眠の質をよくするには、お風呂が欠かせません。

シャワーではなくて、お風呂です。湯船につかってのんびりするだけだから、すごく楽ちんな方法でもあります。

漢方では昼は陽で、夜は陰とされるとご紹介しましたが、実際に体温も昼は高く、夜は低くなります。体の深部体温は朝と夜で一度近くも異なります。そして、睡眠が深いほど体温が低下することもわかっています。

では、なぜ体温が下がるのでしょう。

眠っている間は体をほとんど活動させないため代謝も下がりますし、動かないことで筋肉による熱生産も低下しています。しかし、徹夜で起きていたとしても夜間のほうが体温は下がっています。これは、体内時計が夜になると体温を下げようとするためなのです。

一日の体温のリズムはなだらかな曲線を描いて動きます。一番体温が低くなるのは起床前、そして体温が一日で一番高くなるのは意外なことに真昼ではなく眠る二～四時間前。夕方に眠気が出ても、二十時くらいになると目がぱっちりとする経験をしたことがありませんか？　この体温の高い時間帯は「睡眠禁止ゾーン」と呼ばれていて、眠気が起こりません。その後、一番高くなった体温が下がり、脳の温度も下がることで眠気が引き起こされるのです。

体温を下げるために、体はラジエーターのように熱を逃します。赤ちゃんは眠いときに手が温かくなりますが、同じことが大人でも起こっています。眠くなるころに手足の血行をよくすることで、熱を体の表面から逃がして体内の温度を下げています。

寝るときにくつ下が必要な女性は多いですよね。血が足りないひとほどその傾向が強いのですが、これは困ったことを引き起こしてしまいます。熱が足から逃げなくなってしまうので体温が下がりにくくなり、よけいに寝つきが悪くなってしまうのです。

夜のお風呂が眠りに効果的な理由は、リラックスするということだけではありません。それ以上に湯上がりに体が冷えるからです。温まることより冷えることがポイントだと思うと、不思議な気がしますよね。

実は、人間の体にはホメオスタシスといって、もともと体温を一定に保とうとする仕組みがあります。そのためお風呂に入って体温が急激に上がると、逆に体は体温を下げようとするのです。そして体温が下がるときに、ひとは眠くなる。映画などの雪山遭難の場面で、「寝るなー！」と言って叩き起こすシーンがありますが、あれも体温が下がるときに眠くなるためです。

風呂上がりに眠くなるのは、こういった体の仕組みがあるからなのです。

夜、熟睡するためにも、寝ている間も体温が低くなっていることが必要です。そのため、たとえば電気毛布をつけっぱなしにして眠ると眠りが浅くなってしまいます。

更年期の女性は不眠に悩まされることが少なくないのですが、これも実は体温上昇が関係します。ホットフラッシュといって、カーっと熱くなる更年期特有の症状がありますが、このカーっと熱くなるときには実際に体温が上がっています。睡眠中にホットフラッシュが起きるためにパチっと目が覚めてしまうのです。このホットフラッシュは自力ではちょっとコントロールしにくいので、漢方薬やサプリメントなどを使うことをおすすめします。

眠りやすくなること以外にも、もちろん入浴そのものの大きな効果は見逃せません。湯船につかることによってウエストが三〜六cmくらい細くなるくらいの水圧がかかります。一六〇cm、五五kgのひとだと、約五〇〇kgの水圧がかかっている計算になります。この水圧によって血管が圧迫され、血流がよくなります。

とくに足のむくみのあるひとへの効果は大きく、足にたまってよどんでいるリンパ液や血液が一気に心臓へと押し戻されていきます。これによって全身の血液循環がよくなるのです。

よい睡眠をとるために大切なお風呂ですが、ちょっとしたコツがあります。それは、四〇度の湯船に十〜二十分くらいつかることです。ずっとつかりつづける必要はなく、のぼせるようなら途中で出て休憩してもかまいません。四二度などの高めのお湯にしてしまうと、交感神経を刺激してしまい逆に目が冴えてしまいます。湯船にゆっくりつかってリラックスすると副交感神経が優位になり、自律神経の入れ替わりがスムーズにいきます。

週に一度くらいでいいのですが、長めに湯船につかって体温が上がったら、その後十五分間はすぐに体温が下がらないように毛布やバスタオルなどで全身をくるんで保温してください。すると、体の修復をするタンパク質（ヒートショックプロテイン）が分泌されて、不調が回復しやすくなります。

入浴をするだけですぐに血流がよくなるのはもちろん、睡眠も改善されることによって血を増やす力も高まり、長期的にみても血流がよくなります。忙しい中でも時間をつくって、ぜひ湯船につかりましょう。

6 もしも眠れなくても、自分を責めなくていい

いざ眠ろうとしても眠れないときがあります。お風呂に入ったり、深呼吸をしてみたりしても、眠れない。そして眠らないといけない、眠らないといけないと思うと焦

ってしまって、よけいに眠れないものです。
そんなときは、あっさりあきらめてください。

無理に眠ろうとしなくて大丈夫です。もちろん、睡眠はとても大切ですが、目を閉じて安静にしているだけでも体はしっかりと休息しています。

ふだん立っている状態では重力に従って、血液は足へと下がり、たまります。夕方になると脚がむくむのは、下に向かって集まった血液が戻れずにたまるためです。

立ったままの状態では、人間の体は全身にくまなく血液をめぐらせることができません。腕と脚の血圧を比べてみるとよくわかります。腕の血圧は立っているときよりも寝ているときのほうが高いのですが、脚の血圧は、寝ているときよりも立っているときのほうが高いのです。それだけ血液が余分に脚に集中してしまっているためです。

横になると心臓と全身の高さがほぼ同じになるため、全身の血圧が一定になります。そして必要なところに必要な量の血液が行き渡るようになるのです。横になるだけでも、全身の血流状態がよくなるのです。

このとき、とくに大きな変化があるのが腹部の内臓です。血液を浄化するのは肝臓の働きですが、横になれば肝臓の血流は増え、それに合わせて血液中の老廃物を分解する働きも高まります。

また、横になって目を閉じているだけでも副交感神経が優位になり、体は休息状態になります。体が修復され、ホルモンも分泌し、免疫力も上がるのです。暗い部屋で横になっているだけで、睡眠の三分の二くらいの効果があるともいわれています。

体に不調を抱えているひとほど、まじめに改善法に取り組みがちです。そして、百点のとれない自分を責めて、もっとよくする方法はないのかと悩んだり、どうして自分ができないのかと落ち込んだりします。

もしも眠れなくても自分を責めなくてもいいのです。

時間どおりに眠れない、睡眠不足だからといって落ち込む必要はまったくありません。よく眠れないからといって、血がまったくつくられないわけではありません。

できることから一つずつ、やっていきましょう。

第五章

「静脈」の血流をよくするための生活習慣5つの方法

女性の血流は静脈が左右する

男性と女性では血の流れが異なります。
女性の血流を左右するのは「静脈」です。

男性の場合、いわゆる血液ドロドロに関係する脳梗塞《こうそく》、心筋梗塞、高脂血症などにとくに注意する必要があります。このとき、「動脈」に注目して血流をよくすることが大切です。

それに対して女性が重視すべきは「静脈」です。とくに、むくみや下半身の冷えといった悩みのあるひとにとって静脈の血流をよくするための対策は必要不可欠です。

なんだか調子が悪いと思って検査をしても、心電図をとっても問題がない。血液検査に異常もない。血流が悪いにちがいないのに何でだろう……。

不思議に思ったことはありませんか？

実は現代の西洋医学の検査では、静脈の状況を調べるものはほとんどありません。しかし、血液の分布の割合は、動脈の血液量を一とすると、静脈の血液量はその四倍といわれています。

氷山の一角という言葉がありますが、見えない部分のほうがずっと大きな割合を占めているのです。この静脈の血流が悪くなりやすい女性は、結果として全身の血流までもが悪くなってしまいやすいということなのです。

繰り返しになりますが、漢方では、男性は「陽」、女性は「陰」とされます。同じ血管でも動脈が「陽」、静脈が「陰」とされることを考えれば、女性が静脈とかかわりが深いのは、とても自然なことです。

現代医学では「性差医療」という言葉が注目されはじめています。同じ病気であっても症状や薬の効果などに男女差がある場合があると明らかになってきているのです。新薬の開発をみてもわかりますが、西洋医学では成人男性を「標準」として病気や治療法が確立されています。そのため男性を基準につくられた改善方法をそのまま女性に当てはめても、女性にとってベストな方法とならない場合があるのです。

それに対し古来、漢方は男女それぞれの生まれもった性質に陰陽という形で注目してきました。**血流においても男女異なった方法で改善するのは当然なことともいえるのです。**

動脈と静脈は働きも構造もまったく異なります。そして、女性が静脈の血流に注目しなければならない理由として一番にあげておきたいのが「女性は血液を戻す力が弱い」ことです。

全身の血流から考えてみましょう。

心臓から出た血液は動脈を通って全身に運ばれ、静脈を通って戻っていきます。

動脈の中は心臓で押し出された勢いで血液の流れが強いため、動脈の血管は厚みがあり弾力があるのが特徴です。それに対して心臓から遠くに位置する静脈になると、血流の勢いがなくなり、ゆっくりになってきます。そのため、静脈の血管は薄く軟らかです。さらにもっとも大きな違いとして、動脈にはない「弁」があります。心臓に向かって一方向にだけ血液が流れるように、逆流を防いでいるのです。

静脈の弁をエコーで見ると、血液が流れているときだけ開き、止まっているときは閉じているのがわかります。わざわざ弁をつくらないと血液が戻ってしまうことからわかるように、静脈は非常に流れが悪いのです。

そして、人間は立って暮らしているため、放っておくと、どんどんと血液が下に集まってきてしまいます。夕方になると足がむくむのは、血液がたまり血管から水分が漏れ出ているためです。余分に足にたまる血液の量はおよそ三〇〇〜八〇〇㎖。女性の血液量は体重の約七%です。体重五〇kgの女性だと血液量は三・五ℓなので、多い場合には二割もの血液が常時足にたまったままになっていることになります。

足がむくむときほど疲れを強く感じるのは、足にたまった血液が酸素や栄養を運ぶことができず、疲れがとれにくくなっているからでもあるのです。いわば、二割もの血液が全身から失われているのと変わりません。

学生時代の全校集会で起立したままでいるとき、突然バタンと倒れてしまうひとがいませんでしたか？ これは、足に血がたまりっぱなしになり、心臓に戻ってくる血液が減ることによって血圧が下がりすぎてしまって失神するのです。

人間の体は、足にたまってしまった血液を重力に逆らって下から上へと送る必要があります。そのため人間の体には、足から心臓へ血液を戻す静脈の仕組みがあり、血流を改善しています。しかし、女性はこの静脈の仕組みをうまく使えないことが多く、血液を戻す力が弱くなってしまっているのです。

静脈を無視して血流を改善しようとしても、女性の場合は無駄な努力になってしまいます。静脈の血流をよくすることこそが鍵《かぎ》なのです。第四章までで、血を「つくる」「増やす」は完了しました。ここでは、とくに「静脈」に注目し、その血流をよくし、めぐらせるための生活習慣についてご紹介していきます。

1 第二の心臓、ふくらはぎを鍛える

下にたまってしまった血液を戻すために進化の過程でつくられたのが、第二の心臓とも呼ばれるふくらはぎです。歩くときに、ふくらはぎに注目してよく見てください。歩くのに合わせて筋肉が伸びたり縮んだりするのがわかりますよね。この動きは「筋

ポンプ作用」といって筋肉の収縮を使って心臓へ血液を送り返す働きを静脈の弁と共同で行っているものです。

ここでちょっと考えてほしいのですが、第二の心臓であるふくらはぎは、歩くときに筋肉を収縮させることを主な働きとしています。では、歩かなかったら何が起こるのでしょうか？

答えはかんたんです。

歩かないということは、第二の心臓が止まっているということにほかなりません。エコノミークラス症候群は、血行が悪くなって血栓ができて詰まってしまう病気です。ずっと座って同じ姿勢をとっていたために第二の心臓が動かず血流が悪くなったために起こってしまうのです。

歩くことは直接的に血流をよくすることにつながっているのです。

この血液を戻す働きが弱っていることが、ひと目でわかる特徴的な症状があります。それが「下肢静脈瘤《りゅう》」です。ふくらはぎのところの血管が浮いてボコボコと蛇行していたり、クモの巣のように血管が浮き出ていたりするのを見たことがありませんか？

とくに四十代以降の女性に多いのですが、これは足の静脈の弁が壊れて血液が逆流してしまい、弁の下に血液がたまっている状態です。筋肉が弱って血液を心臓へと戻せなくなったことによって引き起こされます。下肢静脈瘤はそのひとの血流が悪いことを教えてくれているのです。

困ったことに、この静脈の弁は一度壊れてしまうと二度と元には戻りません。そして、足がむくんだ状態を放っておくと、弁はどんどん壊れていってしまいます。くつ下の跡が消えなかったり、ブーツやくつがきつくて履きにくくなったりすることで自分でむくみに気づくことができます。

医学的にむくみを判断するには、すねを五秒ほど強く押してみてください。凹んだ状態が戻らないとむくみだと診断されます。

この下肢静脈瘤は、女性のほうが男性の二～三倍もなりやすいといわれています。それだけ女性のほうが「血液を戻す力が弱い」ということを意味しています。

静脈の弁の下に血液がたまっている状態は、漢方でいう「瘀血《おけつ》」、血流が悪く滞った状態そのものでもあります。

この男女差に大きな影響を与えているのは、筋肉量の違いにほかなりません。男性のほうがふくらはぎの筋肉が多いため、それだけ血液を心臓に向かって戻しやすいのです。

ふくらはぎが二足歩行をする人間にしかないことをみてもわかるように、重力に逆らっている分だけ、血液は足に集まりやすくなってしまいます。

一か所に立って動かない仕事をしているひとほどかかりやすく、十時間以上立っているとと重症化しやすい傾向もあるそうです。立ったままあまり動かないお仕事をしているひとは、くれぐれも気をつけてくださいね。

足のむくみというのは、動かずにたまってしまった静脈の血液から、水分が血管の外ににじみ出るために起こります。つまり、血液が足で滞ってしまった状態なのです。すると本来全身に回るはずの血液が足にたまったままになって、上半身で血液不足の状態が起きてしまいます。足がむくむひとに肩こりや頭痛といった症状が出るのは当然なのです。

では、どうしたらこの静脈の血液を戻し、流すことができるのか。

足を動かしましょう。

もちろん普通のウォーキングがよいのはいうまでもありませんが、「もも上げウォーク」もおすすめです。

ももを高く上げて歩くのですが、かかとを蹴《け》り出すようにぐっと前に出すことがポイントです。ふくらはぎの筋肉がしっかり伸びることで、血液を戻す効果が大きくなります。

大腿《だいたい》筋を大きく動かすためダイエット効果まで期待できます。

【もも上げウオーク】

①立ち上がって、片方のひざが腰よりも高くなるくらい太ももを高く上げる。

②かかとを前にぐっと蹴り出して歩く（爪先《つまさき》を前に出さないように）。

③反対側の足でも同様に行う。

もう一つのおすすめは、「かかと上げ下げ運動」です。

続けると筋肉が鍛えられて、血液を戻す力そのものが強まるので、ダイレクトに血流改善に効果があります。

下半身のむくみがなくなったり、足首が細くなったりするのはもちろん、肩こりまでよくなります。ふくらはぎが鍛えられるとヒールを履いた姿も非常に美しくなり、女性にはうれしいですね。

漢方では「体を動かすと血が動く」といいますが、足を動かせば静脈の血液は心臓に戻っていきます。

まさに、女性の血流をよくするもっとも効果的な方法なのです。

【かかと上げ下げ運動】

①爪先立ちになる。
②背筋を伸ばしたまま、ゆっくりとかかとを上下する（五秒くらい）。
③一セット三十回、朝晩二セットくらいを目安に行う。

２「かんたん丹田呼吸法」でむくみを改善する

「仕事中に呼吸が止まっていませんか？」

相談に来られた方に聞くと、みなさんはっとした顔をしてうなずかれます。

パソコンを打ちながら息をしていなかったり、集中すると息が止まっていたりするという方が多いのです。とくに仕事中はストレスによる緊張から呼吸が浅くなるということもあるでしょう。

呼吸が浅くなる、呼吸が減る、ということは、女性の血流に深刻な影響を与えています。

手首に手を添えると動脈が脈打っているのがわかります。この脈拍は心臓の鼓動に合わせてトクン、トクンと動いています。実は、脈拍というのは動脈と静脈とで異なります。静脈のリズムは心拍と一致しません。送り出された血液の流れは体の隅々にある毛細血管にまで届くと勢いを失い、その後の静脈の流れは心臓とは別の力によってつくり出されているためです。

寝ている間、立って歩いていないときでも、静脈の血液は心臓へと戻っていきます。それは、呼吸によって血液の流れが生み出されているからです。

呼吸が静脈の血流をつくる際に、重要な働きをしているのが「横隔膜」です。横隔膜は肋骨《ろっこつ》とおなかの軟らかい部分の境目のところにあります。横隔膜から下には、胃腸が入っている空間があり「腹腔《ふくくう》」と呼ばれます。

息を吐いたときには横隔膜が緩んで上がります。すると腹腔の圧力が下がって下半身の静脈の血液が腹腔へと流れ込みます。逆に息を吸ったときには横隔膜が緊張して下がり腹腔の圧力が高くなります。するとおなかの圧力が強まって、おなかまで戻ってきた静脈がさらに胸のほうへと押し上げられることになるのです。これが、血液を心臓へと戻す静脈の働きです。

呼吸が深く大きいほど、横隔膜がつくる圧力は大きくなり、静脈の血流はよくなります。そして呼吸が浅くなると圧力が小さくなります。すると心臓からもっとも遠く、血がたまりやすい足の静脈の血液を戻すことができなくなってしまうのです。

困ったことに女性に多い胸式呼吸では、この横隔膜があまり上下せず静脈の血流が悪くなりやすいのです。

そして、とどめを刺しているのが現代の職場で増えているパソコンでの仕事です。これは血流にとって最悪の状態ともいえます。前かがみで画面を見るため猫背になる。すると、胸が圧迫されて大きな呼吸ができません。緊張から呼吸も浅くなっています。そのうえ座りっぱなしのためふくらはぎも動かない。

静脈の血液はまったく流れていない状態なのです。

漢方での肺の働きの一つに「通調水道《つうちょうすいどう》」というものがあります。これは、水の通り道を調整するという意味です。肺、つまり呼吸の働きが悪くなると水分代謝が悪くなってしまうということ。これは、むくみをみてみるとよくわかります。

むくみはリンパの流れが悪いせいだと思っていませんか?

実は、これは大きな誤解です。むくみの原因は、リンパではありません。静脈です。毛細血管から体内へ漏れ出る水分は一日に二〇ℓにもなりますが、九〇%が静脈から吸収され、残りのたった一〇%の水分がリンパから吸収されるにすぎません。そして、このリンパも最終的には静脈に向けて流れ込むのです。つまり、静脈の血流がよくないとリンパも詰まってしまうということです。

リンパのめぐりをいくらよくしてもむくみが改善しないのは、九〇％を占める静脈のめぐりをよくしていないからなのです。**静脈こそが体の中の水の流れを担っているということもできます。**リンパマッサージなどのリンパの流れをよくする方法は、全身のめぐりを改善するために有効な方法です。もしも効果がない、あるいはすぐに元に戻ってしまうひとは、静脈の血流に問題があるのです。

おそらく昔のひとは、呼吸の力が弱まると体の水分の流れが悪くなることに気づいていたのでしょう。そして、その知恵が肺の「通調水道」という言葉になっています。「静脈の血流＝水の流れ」をつくり出しているのは呼吸なのです。

血流をよくするために呼吸をしましょう。むくんだかな？　と思ったら意識的に大きな呼吸をしてみてください。

静脈の血流をよくするための呼吸は、深くて大きい呼吸です。前にも紹介した「完全呼吸」がおすすめです。

完全呼吸や腹式呼吸がなかなかできないひとは、「かんたん丹田《たんでん》呼吸法」を試してみてください。体を倒して呼吸をすることで、腹式呼吸の感覚がつかみやすくなりますし、横隔膜を直接上下に動かすことで、静脈の血液が上へと移動するのをサポートしてくれます。

【かんたん丹田呼吸法】

①息を吐くときは、横隔膜のところから上体を少し前に倒す。
②息を吸うときは、上体を起こす。
③呼吸は鼻で、十回くらい行う。

3 足を温めて「冷却システム化」を防ぐ

下半身の血液を戻す力が弱いことは、冷えにも重大な悪影響を及ぼします。

足が冷えるという女性は非常に多いのですが、実はむくみと同じ原因で冷えは引き起こされているのです。

血液の働きの一つに、熱を運ぶということがあります。内臓や筋肉でつくられた熱を全身に運ぶのですが、足で血液が動かずに止まってしまうと、全身はどんどんと冷えていきます。お風呂のお湯をはりっぱなしにしておくと、どんどん冷めていくのと同じです。

冷えると今度は、熱ではなくて冷えを全身に運ぶことになってしまいます。これでは、いくら体を温めようとしても効果が出るわけがありません。

つまり、足に全身を冷やす冷却システムをもっているようなものです。足で冷やされた血液を第二の心臓であるふくらはぎから全身に向けて送り出しているのですから。

この冷却システムによって最大のダメージを受けるのが子宮・卵巣です。左右の足の静脈はすべて内腸骨静脈と外腸骨静脈に集まって骨盤に入り、骨盤で一本にまとまって上がっていきます。この左右の静脈の合流点は子宮・卵巣のすぐそばに位置します。足で冷やされた血液は、子宮・卵巣を冷やしているともいえるでしょう。漢方では子宮・卵巣は血の海です。その血の海をキンキンに冷やしているのです。

血液不足の状態だと、冷却システムはさらに深刻な被害をもたらします。ただでさえ足りない血液が足に集まって仕事が十分にできないだけでなく、全体の量が少ないために、血液全体の温度も下がりやすくなってしまうからです。

このように、足元の冷えがある状態だと、全身に血液を十分に循環させることができなくなっています。すると、熱も全身を循環できません。

そのために起こるのが「冷えのぼせ」です。お風呂のお湯を放っておくと、上が熱くても下が冷たい状態になりますが、まさにかき回されていないお風呂のお湯と同じ状態になっているのです。

冷えのぼせを改善するのに非常に有効な漢方がありますが、それは体を温めたり冷やしたりすることで治すものではありません。お風呂のお湯をかき回して温度を均一にするように、血をめぐらせることで全身の熱をかき回す働きをしています。

足を温めることは、冷えはもちろん血流の改善にもつながります。下から温めることでお風呂のお湯を対流させているのと同じことになります。

また、冷えることそのものも血流を悪化させてしまう要因です。人間の体にとって冷えはストレスです。そのため冷えを感じると交感神経が緊張し、血管が収縮してしまいます。血管が収縮すると、血液の流れは当然悪くなります。

冷えによって血流が悪くなり、血流が悪くなることでますます冷える、という悪循環が繰り広げられてしまうのです。

血流悪化と冷えの悪循環を断つためには、足を冷却システムにしないことです。

足を温めるもっともかんたんで効果的な方法は、レッグウオーマーを使うこと。足首を温めてください。足首には脂肪がついておらず、血管が皮膚のすぐ下を走っているために熱が奪われやすいためです。

足の指先をストレッチすることもおすすめです。足の指先というのは全身でもっとも冷えやすく、もっとも血液の流れが悪くなりやすい場所です。下半身の血流悪化が始まる場所ともいえ、その分改善効果も大きいのです。

筋肉がこわばっているひとは最初、痛みを感じるかもしれません。浴槽の中やお風呂上がりにするとより効果的です。

【足握手ストレッチ】

①座ったら右太ももの上に、左足首を乗せる。

②左足の裏と右手のひらを重ね、手の指と足の指を交差させて足握手をしてギュッと握りしめる。

③左手で足首をつかみ、足をぐるぐると回す。

④反対側も同じように行う。

4 「三陰交」「血海」を押せば血流の泉がわく

漢方医学には、漢方薬と並ぶ治療法としてツボを使った「鍼灸《しんきゅう》」があります。ツボというのは「経穴」といって、体の内側と外側の気（エネルギー）の通り道とされる「経絡」の中継点であり、エネルギーが出入りする場所でもあります。この経穴を刺激することはＷＨＯ（世界保健機関）でも医学的有効性が認められている治療法です。

全身のツボの数は三百六十一個もあります。三百六十一個のツボはそれぞれ名前と場所、効果が決まっています。その中で、**女性の血流改善にとくにおすすめしたいツボが「三陰交《さんいんこう》」と「血海《けっかい》」です。**

この二つのツボが足にあるのは、ある意味当然ともいえます。これまで見てきたように女性の血流の要《かなめ》は静脈。何より、足から心臓に向かう静脈の流れこそが、血流を考えるうえで欠かせないからです。

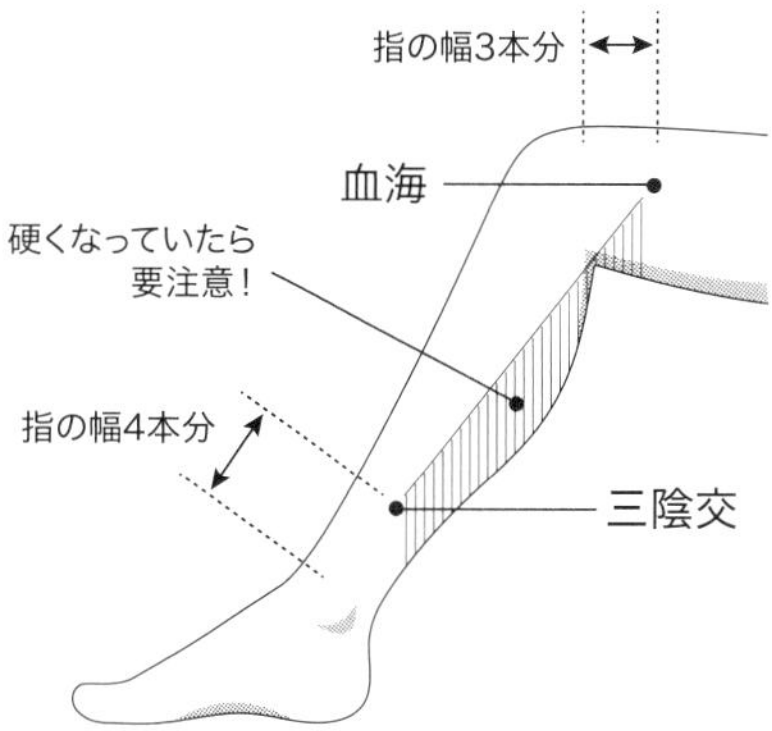

まず女性にとって一番効果もあり有名なツボ「三陰交」。

この三陰交というのは、足のすねの内側にあるツボで、くるぶしのもっとも高いところから指の幅四本上に行ったところにあります。

三陰交とは、三つの陰の経絡すべてが交わるという意味で名づけられていて、一か所で三つの効果が期待できます。女性が「陰」であることを考えれば、女性のために存在するといっても過言ではないツボなのです。

この三つの経絡というのは、「太陰脾経《たいいんひけい》」「厥陰肝経《けついんかんけい》」「少陰腎経《しょういんじんけい》」の三つ。専門用語でちょっとわかりにくいかもしれませんが、ざっくりいうと、太陰脾経は胃腸、厥陰肝経は血液、少陰腎経は水のめぐりと呼吸にかかわります。

今まで学んできたような文字が並びませんか？　そうなんです。胃腸を元気にし、血をつくり増やし、めぐりをよくしていく。まさに血不足から血流が悪くなっている女性のために存在するようなツボです。

ちなみに妊娠中の女性の三陰交を刺激して子宮の血流がどう変わるかを調査した研究があるのですが、実際に血流量が増えたことが証明されています。


そしてもう一つの「血海」。

これはひざを曲げてお皿の上、内側の角から指の幅三本分上がったところにあります。

海には、あちこちから戻ってきて集まるところという意味があります。この「血海」には血を胃腸に戻す働きがあり、無数の河川が集まって海に帰っていく様子から名づけられています。足に集まってきた血液が静脈に集められて上に向かって流れていくことを考えれば、まさにぴったりの名前といえます。

また子宮も「血の海」と呼ばれていることは、偶然の一致ではありません。血海のツボは子宮を温める働きが強く、生理痛をとるツボとしても知られています。

この三陰交と血海には血流改善だけでなく、たくさんの効果があります。冷えをとり、子宮や卵巣の働きを整えることはもちろん、美肌・美白にも効果があります。ひそかに人気のある効果としてバストアップも期待できます。

ツボを押すときのポイントは、集中すること。テレビを見たりしながら押すと効果も出にくくなってしまいます。お気に入りの音楽を流したり、アロマをたいたり。リラックスできて集中できる環境をつくってから押すと、より効果も高まります。

そしてツボを押しながら、足の静脈の血液が上へ上へと流れてめぐりがよくなり、子宮や体全体に温かさが広がっていくことをイメージしてみましょう。

押すときは急激に押すのではなくゆっくりと押します。息を吐きながら徐々に力を入れ、息を吸いながら徐々に力を抜いていきます。

この三陰交と血海を結んだライン、太ももとふくらはぎの内側の筋肉が硬くなっていませんか？　もし硬くなっているとしたら、血流が悪くなっているサインです。

椅子に座ったら握りこぶしをつくって太ももで挟んでください。そして、ひざの内側から太ももの付け根にかけて手前に引いていきます。これを五〜十回繰り返すと内ももが温まり、筋肉が緩むとともに血流もよくなっていきます。

5 静脈の血流改善こそ、心と体に調和をもたらす

漢方で人体をとらえたとき、「血」は陰そのものといえる存在です。そして血の流れは陽の動脈、陰の静脈に分かれます。**陰の中の陰である静脈の血流こそ血液全体を支え、ひとの体を支える鍵なのです。**

「陰」というと日陰や地味、あるいはネガティブな印象をもたれるかもしれませんが、決してそうではありません。陰とは支えているもの、調和と平和であり、ミステリアスで見えにくいものです。情であり、やさしさであり、すべてを支えるもの、すべて

を包み込む深い愛です。

陰と陽は、互いに支え合い、依存し合いながら全体として一つの形をなしています。動脈と静脈の関係もまさにそうです。心臓が動き、血液が押し出される。心臓の鼓動もわかりますし、血管が脈打っているのもわかります。しかし、その動きを支えているのは静脈です。血液の七割以上をたたえている静脈があって初めて動脈は活動することができます。

だからこそ静脈の血流をよくし、めぐらせていきましょう。

流れが悪くなったために、体は支えを失い調和が崩れているにすぎません。

これだけ技術が進歩して医学が発展しているのに、世の中の心と体の病気はとどまるところを知らず増えています。

本来、人間は毎日たくさん歩いていました。動けば自然と呼吸も大きくなっていたでしょう。歩くこと、呼吸すること。血液をめぐらせるためのあたりまえの仕組みが、現代の生活の中でうまく活用できなくなってしまった。根本的な原因はそこにあるのではないでしょうか。

血流が悪くなるとき、感情も情緒不安定になります。イライラ、怒りという感情がわきやすくもなります。

逆にいうと、血が滞りなく流れることで、「陰＝調和」が保たれます。

ついついひとにあたってしまう。自分の心が抑えられなくて、感情をそのままぶつけてしまう。気持ちが安定しない。イライラする……。

それは、あなたの性格が悪いわけではありません。血流が悪くなってしまっていることが大きく影響しているのです。

東洋思想の中で、女性は陰です。その女性を支えるのは体の中の陰である血です。陰とは調和。

血をつくり、血を増やし、血を流すことで、必ずあなたの心も体も本来の自分らしい自分を取り戻せます。

食事、睡眠の改善ができたら、最後の仕上げとして、本章でご紹介した方法で静脈から血流をよくしていきましょう。

第六章

心と体の悩みは血流がすべて解決する

血流で一つの悩みを解決すれば、他の悩みも消えていく

第三章〜第五章までで血をつくれるようになるための食事の仕方、血を増やすための睡眠、さらに静脈に注目して血流をよくし、めぐらせるための生活習慣を見てきました。

この章ではさらに、悩み別に解決法を示していきます。今回はとくに、ダイエット、美容、免疫力など女性ならではの悩みを取り上げました。

やせたい！
きれいになりたい！
痛みをとりたい！
赤ちゃんが欲しい！
病気を改善したい！

そんな自分の願いや欲求に正直に行動していきましょう。やはり人間は目の前にある壁が一番気になります。そして、目の前の悩みや障害といった壁を乗り越えることで、次の視界やその先の展望が開けてきます。見ないふりをして進んでも、先が見えずに不安だけが大きくなってしまいます。だからこそ、まず目の前にある課題を解決していくことがとても大切です。

ここまで読んでいただいた方ならお気づきだとは思いますが、関連があるとは思えない悩みや症状の原因が、実は血流にあることも多いのです。そして、血流をよくすることで悩みを解決できると、おまけの効果もたくさん得られます。

多くの悩みの原因が血流であるということは、血流を改善すれば多くの悩みが解決するということでもあるからです。**目の前にある問題を解決していくために血流改善に取り組むと、芋《いも》づる式にその他の悩みや課題も一緒に解決していくことにつながります。**

それでは悩み別に解決法を詳しく見ていきましょう。

《血流で解決1　ダイエット》

下半身太りは血流でやせる

やせたいですよね。

実は、婦人科系のカウンセリングを専門にする前には、ダイエットの相談をよく受けていました。ぼく自身も八八kgから六八kgまで二〇kgやせたことがありますし、千人以上の方に平均で五・九kgやせてもらった実績があります。

これだけダイエット相談をしているとよくわかるのですが、下半身はとてもやせにくいもの。肩やウエスト、おなか回りはやせたのに、太ももは全然やせないということもありました。ダイエットで部位別に脂肪を落とすのは非常に難しいのです。

Kさんも、そんなお一人でした。

「肩や背中の肉はすごくやせて、友だちにも『やせたね～！』って言われるんですけど、太ももがやせないんです。やせたのはうれしいんですけど、胸も小さくなっちゃって……」

やせてうれしいけど、なんか悲しい……。そんな印象がとても強かったのです。

彼女の話をよくよく聞いてみると、間食をやめたり、食事を控えたり、カロリー制限ばかりをしてしまっていました。

下半身がやせないのには理由があります。

そもそも脂肪はどうやって燃えるか知っていますか？

全身には脂肪がたっぷり詰まった脂肪細胞があります。太るとこの脂肪細胞が大きくなります。食事をして約二時間たつと血糖値が低下し、血糖値を上げるためのホルモンが分泌されます。すると、このホルモンに反応して脂肪分解酵素であるリパーゼが活性化して脂肪が分解され、脂肪酸となって血液中に放出されます。そして、脂肪酸は筋肉やその他の組織に取り込まれて燃やされるのです。

ここで重要な点は、「ホルモンが届かないと脂肪は分解されない」「体温が低いと酵素は機能しない」ということです。困ったことに、下半身はその環境にあります。

先述したように、足には重力の働きで血液が集まりやすくなっていますが、集まった結果、渋滞が発生して血流が悪くなっています。そのためせっかく脂肪を分解させようとホルモンが分泌されても、肝心の足には届きにくいのです。

届きにくい渋滞血流の中にかろうじてホルモンが届いても、もう一つ難関が待ち受けています。体温が低いことです。

人間は上半身と下半身では体温が異なります。これも血流が悪いために熱を届けることができないことが原因です。上半身の体温が三六度前後に保たれているのに比べ、足元は一〇度以上低くなることもあります。温度が低くなると、脂肪を分解する酵素は効果が激減してしまいます。

下半身がやせなかったKさんの肩や背中、胸の脂肪はよく落ちました。その部分が体の中心にあって体温が高く血流がよいためです。血流がよく体温が高い場所は優先的にやせます。逆にいうと、下半身がやせない原因は、血流がよくないことにあったのです。

漢方では太るタイプ別に次の四つに分けて、タイプ別に漢方を調整してやせやすくします。

◉気虚太り：食べないのに太る、下半身太り。
◉気滞太り：ストレスが多く体重の増減が激しい。
◉湿熱太り：食欲が旺盛《おうせい》で全身がっちり。
◉瘀血《おけつ》太り：背中や腕など上半身が太く、見た目より体重が多い。

しかし、そもそも血がある程度めぐらないことには、漢方も効果を発揮できません。食事制限だけでは下半身太りはまったく解消しませんが、運動だとバランスよくやせることができます。それは、血流のためです。動くことによって下半身の血流がよくなり、体温も上がるために上半身と同じように脂肪分解が順調に進むためです。だからぜひ、運動してください！　さらに、ヨガ、ピラティス、ジョギングなどの呼吸をしっかりと行うもののほうが効果的です。

とはいっても運動ってなかなかできませんよね。できるなら最初からしているでしょう。

Kさんもそうでした。そこでおすすめしたのが、前にご紹介した「かかとの上げ下げ」と「完全呼吸」です。足の血流をよくするためには、渋滞している静脈の血液を上に戻さないことには始まりません。静脈血が上に戻っていけば、自然と足の血流は改善し、足の体温も上がりやすくなるのです。そのためには「かかとの上げ下げ」は非常に効果的です。

脂肪が燃えるのは、食後二時間ほどたってからです。そのためKさんには、食後二時間たったら、タイマーを活用して一時間おきに意識的にかかとの上げ下げと完全呼吸をしてもらいました。そして、家に帰ったら足湯をする。その結果、下半身もやせはじめたのです。

やせるのと同時にKさんの雰囲気も変わってきました。一番びっくりしたのは服装です。下半身がものすごくコンプレックスだった彼女は、脚の形がわからないようなパンツをはいて、上からチュニックで完全に体型を隠していました。そうするとおばちゃんぽい格好になってしまうのです。ふくらはぎが太いからスカートなんて絶対無理。好きな季節は冬で、その理由もロングブーツでふくらはぎを隠せる冬だけが唯一かわいいスカートがはけるから。でも油断大敵で、ブーツを脱ぐことになったら、もうどうしようと恐怖でしかない……。というふうに、どれだけおしりから太ももにかけてのラインが出るのが苦痛かということを力説するほどだったのです。それが、笑顔で颯爽《さっそう》と体型のわかるパンツスタイルで登場されたときには衝撃でした。

Ｋさんにとってとくに大きな変化があったのは仕事でした。制服がタイトスカートで、脚を隠しようもない彼女にとっては、仕事中は大嫌いな時間でしかなかったのです。それが、体型に自信がもてたことで仕事に集中できるようになります。今までほめられることとなんてなかったのに、上司にほめられるようにもなりました。

今までの人生で男のひとから物を持とうかなんて言われたことがなかったのに、荷物を運んでいたときに会社のひとから「大丈夫？　代わりに運ぼうか？」と声をかけられたときには、驚きと喜びのあまりおかしくなりそうだったそうです。

下半身太りは血流をよくすれば解消できます。体型が変わることで、コンプレックスもなくなり自信もつきます。ぜひしっかりと血流を改善しましょう。

《血流で解決2　生理痛》

生理痛はないのが正常です

カウンセリングのときには、生理の状態を徹底的に聞きます。

生理の状態は女性としての健康状態そのものを示しているからです。

生理のときに、痛みがあるのはあたりまえ。

そう考えるひとも少なくありませんが、痛みとは異常を知らせるサインです。頭が痛い、おなかが痛い。そんなときは心配になりますよね。生理痛も同じです。子宮のことも同じように心配してあげてください。**生理痛はないのが正常なのです。**

「生理＝月経」とは、いったい何でしょうか。

経血というのは、子宮から単純に出血しているわけではありません。子宮の壁である子宮内膜が一か月に一度はがれ落ちたものです。この子宮内膜は毛細血管の集まりなのですが、はがれ落ちるときに、酵素でバラバラに液状に分解されて出ていくのです。

子宮内膜からはプロスタグランディンという物質が分泌されて、経血を外に出すために子宮を収縮させます。血の不足や冷えにより血流が悪くなるとこのプロスタグランディンの分泌が過剰になり、痛みや炎症を引き起こしてしまうのです。

漢方では、「不通即痛（通ざればすなわち痛む）」といって、血流がよくないと痛みが生じると考えます。

生理痛では冷えと血流悪化がお互いに状態を悪化させ合います。冷えれば血管が収縮して血流が悪くなり、血流が悪くなると血が届かないために冷えるのです。生理痛に限らず、婦人科系のトラブルのほとんどがこの冷えと血流悪化によって引き起こされています。

もし生理痛があるのなら、子宮の血流が悪く、冷えがあるということです。大きな病気を招かないように、早めにケアをするように体が教えてくれている大切なサインでもあるのです。生理がすこやかで正常な状態であれば、婦人科系のトラブルはほぼ避けることができるといってもいいでしょう。

生理の際には以下の四つのことをチェックしてみてください。

①痛みがないか。
②経血がサラサラか。
③経血に塊がないか。
④経血の色は明るいか。

とくに、レバー状の塊がある場合は要注意です。悪いものが出てきれいになったと喜んでいるひともいますが、とんでもない大間違いです。子宮が正常に働けないために塊が出てしまっているのですから。

血を増やすことでもっとも違いがわかるのは、この生理の変化です。毎月来る生理で変化が「目で見てわかる」と、よくなっているという確実な実感がわきます。「本当に効果があるのか、心配もしていたけど生理が来たときに、まったく違ってびっくりしました。痛みがないのももちろんですが、経血が違う。色は明るいし、塊はないし。今までのわたしの生理は何だったの？　と衝撃を受けました」

　そう言われる方も多いのです。

　生理は女性にとっての健康のバロメーターにほかなりません。子宮は血の海であり、そこから血が流れ出る生理は、血の状況を体の外から知るもっとも確実な方法でもあるのです。


　生理痛があるということは、血の状態に問題があるということです。放置しておくと子宮内膜症などの婦人科の病気へと進行しかねません。

　どの程度からが生理痛か質問されることもよくありますが、重たい感じがする、違和感がする、という程度であれば問題はありません。痛み止めを飲む、飲んだほうが楽、ということであれば立派な生理痛です。

　ただ、「生理痛がないのが正常」というお話をすると、痛み止めを使うことに罪悪感を抱き、がまんされる方がいますが、これは絶対にやめてください。

　痛み止めはできるだけ使わないことが理想ではありますが、痛みが出ているのであれば、がまんせずに痛み止めを使ったほうがよいのです。

生理痛は血流の悪化した状態が子宮に影響しているというサインです。子宮内膜症、チョコレート嚢腫《のうしゅ》、子宮筋腫《きんしゅ》、不妊症、子宮頸《けい》がん……子宮卵巣系に起きるありとあらゆる病気の背景には、血流悪化があります。放置しておくと、婦人科のさまざまな病気や問題を招くことになってしまいます。

ぼくは相談を受ける中で、重症の婦人科の病気のひとたちにたくさん会ってきました。病気になったり、症状が重くなったりしてからでは遅いのです。生理痛の段階で気づいてほしい。

病気になるのを食い止めてほしいのです。

生理痛は、体からの警告です。「血流が悪くなっているよ」ということを知らせてくれています。

生理痛がある場合は応急処置としてすぐに温めましょう。子宮を冷やさないのが先決です。腹巻きは必須《ひっす》、足が冷えると子宮も冷えるのでくつ下、レッグウオーマーも活用しましょう。

ただし、冷えとりはあくまで応急処置です。温めても根本的にはまったく解決しません。

血を増やしてください。血流をよくして温めることで、生理痛は必ずよくなります。

《血流で解決3　子宮内膜症》
痛みがない生活が来るとは、思わなかった

「生理のときは激痛で、痛み止めを飲んでも仕事に行くことができません。生理以外でもおなかが痛むことがしょっちゅうあるし、お通じのときに痛みもあって……。不正出血もあるし、いつも痛みに悩まされています」

Kさんは病院で子宮内膜症だと診断され、手術を受けました。しばらくは痛みが和らいでいましたが、再びひどくなり出し、ホルモン剤による治療を始めたのですが、それでも痛みは治まらず、相談に来られたのでした。

子宮内膜症というのは、子宮の内側以外の場所で子宮内膜が増殖してしまう病気で

す。病名を見ても自分には関係ないと思われるかもしれません。しかし月経がある女性の十人に一人、潜在患者数は二百万人を超えるといわれます。松浦亜弥さん、平松愛理さん、石田ひかりさんなど有名人で病名を公表されている方も多くいらっしゃいます。

ひどい痛みをもたらすだけでなく、内臓の癒着やチョコレート嚢腫、さらには卵巣がんを引き起こし、不妊症などの大きな原因にもなっています。しかも、この子宮内膜症は西洋医学的に原因すら解明されていません。ホルモン剤での治療や手術をしても完治が非常に困難なのです。とくにKさんと同じように、手術をしていったん痛みが改善したのに、再び悪化する方が非常に多くいらっしゃいます。

漢方的には、病気の背景にある血流悪化を放置していることが原因です。病気を引き起こしている体質から変えないと、また再発してしまうのです。

漢方には「離経《りけい》の血《けつ》」という言葉が古くからあります。本来の血の通り道から外に出た血のことです。あるべき子宮以外の場所で内膜が増殖する子宮内膜症は、まさにこの離経の血が増えた状態です。

漢方では「温陽活血《おんようかつけつ》」という方法で漢方薬を用います。温陽というのは、温める陽の力を高めること。活血というのは血流をよくすることです。漢方薬を使って効果を格段に引き上げてはいますが、根本的な解決法は不変です。

繰り返しになりますが、それは温めることと血流をよくすることなのです。

Kさんは、温めることと血流をよくすることを徹底しました。そして、こう言われたのです。

「初潮が来てから痛みがなかったことはありませんでした。ふだんの生活の中でもわたしは、いつも痛みとともにありました。仕事中も、遊びに行っても、いつも痛みが気になっていて心から楽しめなかった。それが、こんなに楽になるとは思ってもみませんでした」

痛みというのは本当にひとを苦しめます。もしもあなたが痛みで苦しんでいたら、

ぜひ、血を増やすことから始めてみてください。そして楽になってほしいと思います。

《血流で解決4　女性性》

血流は自分の女性性を受け入れる力となる

生理は、男性にはなく、女性にしかありません。子どもを授かるための大切な仕組みでもあるのですが、「女性性」というものを体現しているものでもあります。

相談を受けていると、「自分の中の女性らしさが受け入れられない」ということを言われることが少なくありません。「スカートをはきたくない」「かわいい服を着ることに抵抗がある」「男性に甘えられない」「ピンク色はいや」など、ひとによって女性性を受け入れられない内容は異なります。この女性性が受け入れられないというのは、自分が「女性らしくある」ことに抵抗があるということです。

子どものころに親から「女なんかいらない」「男の子が生まれればよかったのに」といったことを言われたり、両親との関係に問題を抱えていて、母親と同じようになることに抵抗したり、あるいは男性にひどいことをされたりした経験というのも、きっかけの一つと考えられます。

これを改善するためには心理学的なアプローチが一般的ですが、ぼくは体の専門家でもあるためか、相談を受ける中で「女性性が受け入れられないひとほど、生理痛や婦人科系のトラブルがひどい」という傾向を強く感じます。**「女性性が受け入れられないこと」と「痛み」には強い相関性があるのです。**

女性であることを強く意識させられる生理のときに痛みがひどかったり、寝込んだり、だるかったりする。苦痛を与えられることで、ますます自分の中の女性性がいやになってしまいます。

生理痛だけではありません。子宮内膜症や子宮筋腫といった婦人科系のトラブルがあると、性交痛が出る場合も多くあります。するとセックスそのものがいやでいやでしかたがなくなってしまいます。

肉体的な痛みや不快のために、ますます自分の中の女性性に対して否定感や嫌悪感をもち、受け入れられないという悪循環に陥ります。人間の心と体がつながっていることを考えれば、いやだいやだと思うからよけいに意識がそこばかりに向くということもあるかもしれません。

生理やセックスという「女性」をまさに一番意識せざるをえないときに、痛みというもので女性性をまざまざと意識させられてしまう。女性を意識するときに「痛み」がついて回るから、無意識のうちに女性性を否定しているケースもあります。

女性性が受け入れられないひとで、生理痛や性交痛がある場合は、まず痛みをなくしていきましょう。

痛みがなくなれば、女性性と痛みがつながらなくなります。痛みが消えないまでも、少しでも楽になるだけでもいいのです。

相談に来られた当初、自分の中の女性性が受け入れられないと話していた方が、体調がよくなり生理痛がなくなったときにこう言われたことがあります。

「生理痛がなくなったら、ずっといやだ、いやだと思っていた生理がいやじゃなくなりました。体の声というか、子宮の声が聞こえる気がします」

また、子宮内膜症のところでご紹介したKさんは、こうも言われました。

「性交痛がひどくて一年以上も夫との夫婦生活ができませんでした。夫に悪い、申し訳ないと思いながらも、痛みのせいで拒否してしまっていたんです。それがやっと夫婦生活ができた。妻として、女性として救われた気がします」

自分自身の内面と向き合って過去の問題や抱えている気持ちと向き合うのも大切ですが、生理痛などの痛みがなくなれば、そういった問題にも今よりも楽に向き合えるようになります。

漢方では女性という存在を象徴するものが血にほかなりません。**女性そのものとつながる生理、セックスの痛みには、血流が深くかかわっているためです。**

一人ひとり価値観は異なります。もちろん女性性を無理に受け入れる必要はありません。しかし、あなたが女性性を受け入れられなくて苦しんでいるのなら、自分自身の中に齟齬《そご》があるのなら、一度「痛み」をなくすことを真剣に考えてみてください。

血流がその鍵《かぎ》です。

血流をよくして、体の痛みによる呪縛《じゅばく》から心を解き放ち、ありのままの状態で自分を見つめてみてほしいのです。

《血流で解決5　更年期障害》

誰でも楽に更年期を過ごせるコツ

「最近生理が二十四日周期とかで、だんだん短くなってきたんです……。来たら来たでダラダラと続きます。体もなんだかだるくてやる気もあまり出ません。大丈夫でしょうか？　もう更年期になってしまったのでしょうか」

Ｆさんは四十七歳、更年期ではないかと心配して相談に来られました。たしかにそれまでよりも生理周期が短くなってきて、そして次にだんだんと周期が長くなってきて、最終的に来なくなる。このような経過をたどるひとが多いので、年齢的にみてもＦさんが更年期だと思われるのも無理はありません。しかし、更年期を過剰に恐れる必要はないのです。

古来、女性の体は七年周期で変化し、四十九歳で閉経するといわれてきました。実際に日本人の閉経年齢は平均で五十歳ごろ。そして閉経前後のプラスマイナス五年が更年期とされますので、今も昔も閉経時期に大きな違いはないようです。

症状としてはカーっとのぼせるホットフラッシュが有名ですが、それだけではありません。肩こり、疲れやすさ、頭痛、腰痛、不眠、イライラ、皮膚のかゆみ、動悸《どうき》、うつ症状、めまい、乾燥など、肉体的にも精神的にもありとあらゆる症状がやってきます。

閉経の直接的な原因は、卵巣機能の低下です。女性ホルモンであるエストロゲンが急激に減少することでさまざまな症状が出るのです。更年期になると誰でもエストロゲンは減少しますが、不調の症状や重さは個人差が大きく、ひとによってまったく異なります。更年期障害の罹患《りかん》率ははっきりとはわかっていませんが、対象世代の四〇%、約五百六十万人もの女性が何らかの治療が必要だとも考えられています。

平気で楽に更年期を過ごすひともいれば、重いうつや不調に苦しむひともいます。

女性ホルモンの減少が更年期を招いていることに間違いはないのですが、不思議なことに女性ホルモン量の多少だけが症状の重さに関係しているわけではないのです。

更年期を楽に過ごせるかどうか、その違いは「血」にありました。

漢方では「血の道症」という病名の中で、更年期障害をとらえてきました。血の道症というのはその名のとおり、「血」と深くかかわる症状です。

そして、血の不足があるタイプのひとほど更年期障害が重くなりやすい。逆にいうと、血をしっかりと補っておけば、楽に更年期を過ごすことができるのです。

中国では、漢方を使った医学的臨床発表が盛んに行われていますが、更年期の女性を対象に血を補う漢方を使った際のデータもあります。その結果、三〇%が治癒、六〇%が重度から軽度に改善した著効例、残りの一〇%が症状が軽くなり有効、との結果でした。

血を補うことは、更年期のトラブルに非常に大きな効果を発揮するのです。

更年期に血を補って症状を改善するのにもっとも適した食材は、みそです。

日本人は欧米人に比べて更年期障害が軽いといわれてきましたが、以前よりも重い症状で苦しむひとが増えている傾向があります。その原因は和食、とくにみそや豆腐に代表される大豆食品をとらなくなってきたことにほかなりません。大豆に含まれるイソフラボンが更年期障害を軽減することは広く知られるようになってきました。

では、みそでなくても、大豆なら何でもいいのでは？　と思われるかもしれませんが、みそがいい理由があります。

大豆イソフラボンとひとくくりにされていますが、いくつかの種類があります。実際には豆腐をたくさん食べたり、豆乳をガブガブ飲んだりしてもあまり意味がありません。それらは吸収されにくい種類のイソフラボンだからです。一方で、みそに多く含まれるダイゼインという種類のイソフラボンは体にすーっと吸収され、効果を発揮することができます。薬膳《やくぜん》では、このことを知っていたとしか思えないように、みその分類がされています。

漢方の「血」は血液だけでなく、ホルモンや栄養も含む概念ですが、同じ大豆製品でも、豆乳や豆腐には血を補う働きはありません。みそだけが血を補うのです。まるで女性ホルモンの不足をみそのイソフラボンが補う効果を知っていたかのようです。

Ｆさんも血を補うことを中心に、体を整えていかれました。もちろんみそ汁は必須です。血が増えてくるにしたがって不正出血もなくなり、体のだるさもなくなってきました。不調が気にならなくなってきたので、気持ちも楽になったそうです。

「更年期」という言葉は西洋医学が明治時代に入ってきたときに、英語の「climacteric」から翻訳して作られました。語源はギリシャ語の「klimakter」で、人生の重大な時期、転換期を意味します。

たしかに女性にとって更年期は転換期であるのは間違いありません。この時期を境にして心も体も大きく変わり、骨粗しょう症、動脈硬化、心筋梗塞《こうそく》など考えもしなかったような病気にかかるリスクも高くなります。

人生でも子どもの進学・就職、家族や自分の病気、親の介護、相続などさまざまな問題や出来事が起こる時期でもあります。

しかし、更年期を恐れる必要はありませんし、決してネガティブなものでもありません。

「更年」には、年をさらに深めていく、あるいは改めるという意味もあります。

血を補い、バランスのとれた状態に体をもっていくことで、「更年期障害」も楽にやりすごすことができます。

血流を整えることで、心も体も穏やかにして人生の次のステージに上手に移っていきましょう。

《血流で解決6　不妊症》

妊娠力とは血流である

「まさか、赤ちゃんを授かるのにこんなに時間がかかるなんて思ってもみませんでした。二十六歳で結婚してから十年になります。病院での不妊治療を始めてからも五年がたっていました。最初は体外受精をしたら妊娠できると思っていたのに……」

Cさんは、そう話しはじめられました。

ぼくの婦人科漢方相談でもっとも多いのが、不妊の相談です。

不妊とはもっとも女性が「女性」を意識させられることの一つかもしれません。そして、妊娠では、血が決定的な役割を果たしています。

とくに漢方では、子宮・卵巣系の力は血そのものであるため、血の不足や血流悪化は直接的に妊娠によくない影響をもたらします。また、受精卵が子宮に着床するときも、赤ちゃんがおなかの中で育つときも、お母さんと赤ちゃんのやり取りはすべて血を介して行われます。

妊娠中に貧血になりやすいのも、お母さんが二人分の血をつくっているからにほかなりません。出産時にも大量に出血するうえ、母乳は血液からつくられます。妊娠・出産・授乳は、すべて血によって支えられているといっても過言ではありません。

そのため十分な血流がないと妊娠は難しくなりますし、たとえ妊娠できてもその後、非常に苦労をすることになるのです。妊娠力は血流そのものなのです。

Cさんもそうでしたが、不妊で悩まれるほとんどの方が、血流不足です。体質チェックをしても血がつくれず、足りず、流れていない状態です。当然、体も心もバランスがとれず妊娠から遠のいてしまいます。

不妊という状態は、妊娠できるレベルにまで妊娠力が達していない状態といえます。その隙間《すきま》を埋めるために、病院では不妊治療をします。タイミング療法、人工授精、体外受精、顕微授精と、治療がステップアップするたびに隙間を埋める幅を大きくしていっているとでもいえるでしょうか。ただ、治療というのは、その都度、その都度、隙間を埋めていっているもので、妊娠力そのものが高まっているわけではありません。

逆に、体を整えるということは、妊娠力そのものを妊娠できるレベルに向けて積み上げていっていることだといえます。

子宮・卵巣系は血流がよくなると働きもよくなります。生理痛がなくなり、生理周期が整ってくる。子宮の環境もよくなってきます。足りなかった血流が増えてくると婦人科だけでなく、全身の体調もよくなってきます。

「すごく体の調子がよくなっていくのがわかりました。元気になる。そうしたら、心も元気になってきて、余裕もできてきました。それまで、治療、治療って突っ走ってきたんですけど、そんなに急がなくてもいいかなって思えるようになってきて、のんびりできてきました。

わたし、治療しているとき、ずっとイライラしていたんです。まわりのひとたちが次々と結婚したり、結婚してすぐに子どもができるとうらやましかったり。『子どもが欲しいっていう思いが足りないんじゃないか』って言うひともいて、本当につらかったです。

ある日、赤ちゃんって空からお母さんを見ているって話を聞きました。だからダメなのかも。ずっと自分にもまわりにもイライラしているわたしのところには来てくれない。だから、できるだけイライラしないように、いつもニコニコしていようと思って。明るく生きてないとダメだなぁって。そんなふうに気持ちまで変わっていけたんです」

ずっとイライラしてきたCさんが穏やかになれたのは、もちろん笑顔でいようと決めたこともあるでしょう。しかし、彼女はこうも言われました。

「体が楽になったことで、心に余裕が出ました」

Cさんの心が変わったのは、血を増やし体調がよくなったことが大きな支えになったのだと思います。もともと血がつくれず不足し、流れが悪かったCさんは、体質的にもやる気がない、不安、イライラを抱えていました。

それが血を増やし体質が変わったことで、心が体の不調に引っ張られることがなくなりました。結果的に、心も穏やかになったのです。

「わたし、体外受精をしても全然うまくいきませんでした。いい受精卵ができないんです。それが血を増やしてから初めて、やっといい受精卵ができました。それがこの子なんです。

妊娠がわかったときは、本当にうれしくて……。妊娠中も一度、わたしの妊娠生活もこれで終わったと思うくらいの大量の出血がありました。でも、それを乗り越えてこうして無事に生まれてきてくれました。本当にうれしいです」

Cさんが大事そうに、抱っこしたお子さんを見つめながら話します。

「いつも治療をしたときは判定日が待てませんでした。何度も、何度も妊娠検査薬を使ってチェックして。線の出ない検査薬を見るんです。でも、この子のときは病院の判定日まで、何もしませんでした。すごく自然体で、穏やかな気持ちで臨めたんですよね」

血流が増えると子宮・卵巣の力が高まり、直接的に妊娠しやすい体になるのもあるでしょう。しかし、体だけでなく、心の穏やかさにもつながっていく。それこそが、妊娠力とは血流であるといわれる由縁です。

赤ちゃんを授かるための心と体を整えるために、血流は絶対的に欠かすことができない大切なものなのです。

《血流で解決7　アンチエイジング》

コラーゲンは血流でつくられる

「この間、同窓会に行ったら、『何したの!?』ってものすごい質問責めにあったんですよ～」

とうれしそうに言われるRさん。彼女は婦人科系のトラブルを解消しようとして血を増やしていました。決して美容のための努力をしていたわけではなかったのです。

外見的な美しさを語るならば、ハリ、弾力、透明感のある肌は、女子的な美しさとしてとても大切なものです。逆に、荒れてボロボロの肌、枝毛だらけのパサパサヘアでは、美しさを感じることはないですよね。

実は肌、髪、爪《つめ》の美しさに深くかかわっているのが「血」なのです。

お風呂に入っただけでも血色がよくなり、肌が明るく美しく見えますが、血流のよい肌は美しいのです。栄養も酸素も隅々まで届くために細胞の一つひとつが生き生きとしてくるのはもちろん。くすみの原因になっている老廃物も取り除かれるからです。

さらに、美しさを語るうえで、血流だけでなく「血」そのものが深くかかわっています。

美肌といえば「コラーゲン」が思い浮かびませんか？

市販されているコラーゲンをとればお肌はプリプリになるはずです。ところが効果を実感できるひととできないひとがいます。それは、コラーゲンが一度胃腸でアミノ酸に分解されてから体内で吸収、再合成されるためです。この再合成の際に鉄が必要となります。鉄分の最大の貯蔵庫は血液です。血不足になっていたら当然鉄も足りていません。

コラーゲンが効かないひとは、血が足りていません。血不足のためにコラーゲンの再合成ができず、せっかく飲んだコラーゲンがムダになってしまっているのです。

コラーゲンは真皮の約七〇%を占めていて、肌のハリや弾力を左右します。そして肌の中のコラーゲンは常に合成と分解を繰り返していて、古くなったコラーゲンは黄ばんできます。これが肌のくすみやゴワつきにつながるのですが、分解されて新しく若々しいコラーゲンに常に再生されます。

ところが、血が足りないとこの老化コラーゲンの再生もうまくいかなくなってしまうのです。恐ろしいですね。

ちなみにコラーゲンの老化は糖分のとりすぎで加速してしまうので、甘いものはほどほどにしましょう。

現代ではコラーゲンのサプリメントというと、フィッシュコラーゲンや豚のコラーゲンが有名です。

美しさを大切にしているのは、現代女性に限ったことではありません。古来、漢方でもコラーゲンは「膠《きょう》」と呼ばれ、美容に大切なものとして珍重されてきました。鹿《しか》の角からつくる鹿角膠《ろくかくきょう》、亀《かめ》の甲羅からつくる亀板膠《きばんきょう》、ろばの皮からつくる阿膠《あきょう》などさまざまな種類があります。

絶世の美女として名高い楊貴妃《ようきひ》の肌が美しいのは、隠れて阿膠を飲んでいたからだという文献もありますし、映画の『ラストエンペラー』にも登場する西太后《せいたいごう》も阿膠を愛用していたことが歴史に残っています。

ただし、漢方では阿膠をとるだけでは十分な効果が得られないことを経験的に知っていました。そのため阿膠を単独で使うことはほとんどありません。必ず、他の生薬をともに使うのです。

そのときに使うのは、胃腸を元気にして吸収をよくする生薬と、血を増やす働きのある生薬、そして血のめぐりをよくする生薬です。それらを合わせて配合した漢方薬として使われるのです。ぼくもこの漢方薬は頻繁にお出しするのですが、やっぱりみなさんすこやかで美しくなられます。

いくら高級な化粧品やメイク用品を使っても、肌そのものを変えることはできません。肌の七〇%はコラーゲンでつくられていて、ハリもツヤもうるおいも、そのすべてを左右しているのはコラーゲンにほかならないためです。

血液の大規模検査では日本人女性の半数が潜在的な鉄不足といわれています。それを思うと、日本人女性の二人に一人にとっては血を増やすことがもっとも必要な美容方法であるともいえるのです。

あなたの美容の努力がうまくいかなかったのは、ただ血流のことを知らなかっただけかもしれません。ぜひ、しっかりと血を増やして美しくなりましょう。

《血流で解決8　抜け毛・薄毛》

髪は血のあまりである

美しさの鍵、コラーゲンのためには血流が大切だとご紹介しました。

血不足によってコラーゲンがつくれなくなると、影響を受けるのは肌だけではありません。もっと深刻な影響を受けるものがあります。

それが髪の毛です。

漢方では「髪は血のあまり」といわれます。たっぷりと血があって初めて、豊かな

髪がつくられるのです。女性は産後三か月目に深刻な抜け毛に見まわれますが、これは出産によって失われた血の影響が出るためです。

髪は頭皮の毛乳頭から生えてきますが、この毛乳頭はコラーゲンによって活性化されています。頭皮をすこやかにして髪が生えやすい環境をつくるのはもちろん、髪をつくる過程でもコラーゲンは必要とされています。

以前、髪が少なくて……と相談に来られたYさんという方がいらっしゃいました。「大丈夫ですよ。血が増えると髪も増えます」と気軽な感じでお話をしたところ、じっとぼくを見たあとに「見ます？」と言って帽子を取られたのです。

それを見て、ぼくは言葉もありませんでした。そこには髪の毛はほとんどなく、こういっては申し訳ないのですが、つるつるの頭の女性が姿を現したのです。人前でその姿になるのには勇気がいったにちがいありません。それでも、何とかしたいという一心で、彼女は帽子を取ってその姿を見せられたのです。

体質チェックをすると、思ったとおり血が足りていませんでした。そこで、血を増やすことに取り組んでもらったのです。

「髪の毛が抜けはじめたときは、本当に怖かった。とにかく抜けるのが止まってほしかった。シャンプーすると抜けるから、怖くて三日くらいシャンプーできない時期もあって……。お風呂の排水口のネットを一日で取り替えないといけないくらい抜けました」

Yさんは皮膚科にも通っていましたが、体をしっかりケアしないときっと生えないと思って、ぼくのところに相談に来られたのでした。

血を増やしたことがいい形に作用し、今ではすっかり髪が元どおりになりました。

さらに、奇跡的なスピードで髪が生えていったのには、もう一つ、彼女がよい点を見つめていたこともあるように思います。よくないところ、悪いところばかりを見るのではなく、髪に限らず体調のよくなったところに常に目を向けていたのです。

笑いながら楽しそうに話すYさんを見ていると、心と体のどちらもがとても大切だとあらためて感じさせられます。不安な時期も血を増やしていったことで、心も安定しやすくなっていたのも大きな助けになったのでしょう。

もう一つ、薄毛には忘れてはならない大きな要因があります。男性ホルモンです。男性の薄毛に男性ホルモン（テストステロン）が関与しているのはご存じでしょう。男性ホルモンが変化して、毛髪を生み出す毛母細胞を攻撃してしまうのです。そのために髪の毛がうぶ毛に変わり、やがて抜けて、新しい毛髪が生えてこなくなってしまいます。

実は女性の薄毛にも同じ原理が隠れています。女性の男性ホルモンの量は、男性の二〇分の一程度しかありません。そして、女性ホルモン（エストロゲン）が、男性ホルモンの影響を抑えているのですが、女性ホルモンが減ってくると、抑えが利かなくなってしまうのです。すると、男性ホルモンが変化して毛母細胞を攻撃し、薄毛になってしまいます。

女性の場合は髪が細くなり全体的に薄くなっていくのが特徴です。また、女性ホルモンそのものにも髪を育てる働きがあるので、女性ホルモンが少なくなると髪が少なくなってしまうのもうなずけます。

血流が悪くなれば、卵巣の働きも低下してしまいます。卵巣が弱り、女性ホルモンの分泌が低下することが薄毛に影響しているのです。

古来、「髪は血のあまり」と呼ばれてきたのは、髪に対して血がいくつもの影響を及ぼしているからにほかなりません。

コラーゲンを増やし頭皮をすこやかにすること。
頭皮の血流をよくし発毛しやすい環境を整えること。
女性ホルモンを増やすことで髪を育てること。

抜け毛や薄毛にお悩みのときは、シャンプーを変えるだけでなく、ぜひ血流からのケアも合わせて挑戦してみてください。なくなってしまった髪が再び生えてくる方がいるほどです。きっとあなたの大きな力になります。

《血流で解決9　免疫力》

免疫力は血流が左右する

体を病気から守り、健康を保つ免疫力を高めるために、「温めなさい」「腸内環境が大事」「ストレスをためない」「運動をしなさい」「笑うことが大切」などなどたくさんの方法が提唱されています。

たしかにそれらの方法で免疫力は高まります。しかし、その効果を発揮するために忘れてはならないことがあります。

それは、免疫力とは血流だということです。

体を守る免疫力は、免疫細胞の力によってつくりあげられています。

外部から侵入してくる病原菌を退治する、白血球。がん細胞を殺す、ナチュラルキラー細胞。免疫機構の監視塔である、樹状細胞。病原菌に向けて抗体というミサイルを発射する、形質細胞。病原菌に対して一斉攻撃をかける司令塔である、ヘルパーT細胞。

これら人体に存在するすべての免疫細胞は、血液細胞なのです。

つまり、免疫力をいくら高めようとしても血液の質が悪ければ、そもそもの免疫細胞が弱り、不足してしまうということです。血流が悪ければ免疫細胞を患部に届けることすらできません。

これらの免疫細胞の主原料は、赤血球などと同じタンパク質です。そのため、タンパク質が足りない低タンパク血症になると免疫力も低下し、感染症が増えることが知られています。さらに、免疫細胞も赤血球も血小板も、すべての血液の細胞はまったく同じ血液幹細胞という一つの細胞からつくり出されます。免疫細胞も血流の構成要素なのです。

これまで血流をよくするための方法として、血をつくり、増やし、流すことをご紹介してきましたが、同じ方法で免疫力も高まります。

血流をよくするということは免疫力を高めるということにほかならないのです。

免疫力というと「がん」が浮かびます。

がんというのは、ある程度の年齢を重ねてから増える病気です。しかし、婦人科のがんは特殊で若い世代でも多くなっています。女性のがんには、乳がん、子宮がん、子宮頸《けい》がんなどがあります。

いずれのがんも早期発見が大切です。とくに、子宮頸がんはがんになる前の「前がん病変」の状態で発見することができます。その段階だとほぼ一〇〇％予防することが可能な珍しいがんでもあるのです。一人でも多くの女性に子宮がん検診を受けてほしいと思います。

この前がん病変の状態が見つかると、進行していないかどうか定期的に婦人科で検診を受けることになります。このときに、前がん病変が消えるひとも多いのです。がんになる前に消える。

これがまさに免疫力の働きによるものです。人間の体には、がんになる前の異常になった細胞を殺す働きが備わっています。免疫力が高い間は、がんの発生を防ぐことができるのです。

血の海である子宮はとくに、血とかかわりの深い臓器です。血流を増やすことは免疫力を高めるとともに、子宮そのものの力を高めることにもつながります。

ぜひ、がん予防のためにも血流を増やして免疫力を高めていきましょう。

第七章

血流をよくすれば、心は自由になれる

心の安定は血流でもたらされる

決めたことを途中であきらめてしまう。
自信がなくて不安。
心が思いどおりにならない。

そんな経験をすることは少なくありません。夢や目的をもっていても、そこにたどり着くまでに挫折《ざせつ》してしまったという経験は誰しもあるでしょう。

確固たる意志をもちたい。
自分に自信をもって輝きたい。
いつも穏やかな心でいたい。

そんなときは、まず血流から見つめ直してほしいのです。

これまでにたくさんのひとの悩みを解決するお手伝いをしてきました。ぼくは体の専門家です。最初は体調を整えることだけを考えていました。ところが不思議なことに、相談に来てくれる方の体調がよくなっていくにつれ、心の状態もよくなっていったことに気がつきました。

心と体が一つであることを考えれば当然のことですが、ぼくはそれが最初、不思議でなりませんでした。

Mさんは、不安をいつも訴えられる方でした。病院で治療をしていても、うまくいくかどうか不安。子どもがちゃんと成長できるか不安。あらゆることが不安なのです。血流の不足から生理痛やめまいなどの症状もあったのですが、それらも改善してきたころでした。ぼくは一つの質問をします。

「Mさんは、いつも心配だ、心配だと言われますが、これは最近のことですか？　不安を感じた一番古い記憶は何ですか？」

彼女は子どものころから父親に不条理に怒られていたと答えました。怒られる理由や原因がわからず不安だったのです。そのことがいつも不安になる原因ではないか、というのです。

一方で、高校時代に母親を乳がんで亡くしたときから、父親が変わったことも感じていました。それまでは、やりたい放題、自分の気の向くままに振る舞っていたのが、母親の役割も果たしてくれるようになった。そのことにも気づいていたというのです。

「今なら父の気持ちがわかるような気がします。父に話してみます」

そう言って、彼女は感じていたことを素直にお父さんに話しました。そして、いつの間にかずっとトゲのように心に刺さっていた過去の出来事が溶けていったのです。


もちろん、心理カウンセリングだけでも、過去の自分と向き合ったり、過去の自分を受け入れたりすることができます。ただ、自分の心がよい状態のときのほうが、自分自身の気持ちにより素直に向き合えそうに思いませんか？

血流をよくすれば、自分の心は安定します。毎日の生活を穏やかに送れるようになるだけではなく、過去と向き合い、挫折や失敗、いやな出来事を乗り越える環境をつくることにもつながります。

「心の力×体の力＝実現力」

カウンセリングをしている中で、大きな変化を目の当たりにすることが頻繁にあります。病院の治療で治らなかったり、うまくいかなかったりした方が自力で体調を改善していく。

まるで奇跡のような体験に遭遇することも少なくありません。そんなときには必ず、血流を通して、心の変化が伴うのです。

四十六歳の方が妊娠されたときもそうでした。

最初に相談に来られたときは、どうしたら妊娠できるのか、何とかしてほしい、その一心。思い詰めたような表情で、いつもそわそわイライラした雰囲気が伝わってくる方でした。それが、夕食を抜いて胃腸を元気にし、血流を増やし、血流をよくして体調を整えていくうちに、だんだんと表情が和らいでいったのです。表情が緩むと、言葉が変わります。

その方は育児施設で仕事をされていたのですが、最後のカウンセリングのときにこう言われました。

「わたしは、もう自分の子どもを抱くことはできないかもしれません。でも、こうして社会の赤ちゃんを育てることが、わたしの運命かなぁと思うのです」

彼女はこの言葉を悲しそうに、つらそうに言われたわけではありません。今までにない穏やかな表情で、今の自分自身を受け入れた、本当に自然な雰囲気で口にされたのです。あまりにも自然すぎて、はっとするほどでした。そして、その後妊娠し、無事に出産されます。

血流が増え、よくなっていくと、心が穏やかになっていく。

実際にそのとおりの光景をいくつも、いくつも目にしてきて、血流を改善することこそ心を穏やかにする近道であり、夢や目標を実現する方法なのだとぼくは強く確信しています。

「心の力×体の力＝実現力」

夢や目標が実現するのは、心の力だけでもなければ、体の力だけでもありません。

そして、この式で重要なのは、足し算ではなく掛け算だというところです。「5＋5＝10」でなく、「5×5＝25」。心と体、お互いの力が相乗的に働いて、実現させているのです。

気合、根性、努力。そういったことも大切かもしれません。しかし、その積み重ねができないからこそ、みんな困っているのです。

ぼくのところに来られる方は、みなさんごく一般の方々です。スーパースターやすごい能力をもったひとたちではありません。

そういった方たちが自分の夢や目標を達成していく。あるいは奇跡のようなことを起こす。それは、たまたまの偶然でもなければ、がんばりだけで成し遂げられたものではありません。

ぼく自身が凡人だからこそ、かんたんに心が変わってしまうのを知っています。

「毎日ウオーキングするぞ！」

「食事を控えてダイエットしよう！」

目標を達成するために決めたことを、すぐにできなくなってしまう。強い精神力をもっていないからこそ、ちゃんと体で心を支えよう、と思うのです。

夢や目標があるのなら、その目標に向かう意志を支える必要があります。そしてその支えになるものこそ、血流にほかなりません。

いわゆる超一流と呼ばれる方たちこそ、心と体を深く見つめています。

女優の吉永小百合さんは、水泳やジムに定期的に通われ、食事にも気を使っていらっしゃることで有名です。

また、オリンピックに出場するようなトップアスリートこそ、夢や目標に向かっていく代表ともいえます。国立スポーツ科学センターは『女性アスリートのためのコンディショニングブック』を発行しているのですが、これを読むといかに心と体の状態が影響しあっているのかよくわかります。

そして、その内容の中心は血流そのものである「月経と心と体の関係」なのです。

トップアスリートこそ、いかに体の状態が心に影響するかを知っているのです。

血流を改善することは、夢や目標を実現していく大きな力になるのです。

体の束縛を解けば、心の自由が手に入る

血流が心の状態に影響することを、漢方は遠い昔から知っていました。

思考そのものが血液と深くかかわっていると考え、血液を精神活動の基礎物質とみなしてきたのです。

実際、血流がよくなければ、心はすこやかな状態を保つことができません。

体が負の感情を生み出すからです。


血がつくれないと、やる気や元気が失われます（気虚）。

血が足りないと、不安になり、自信をなくします（血虚）。

血が流れないと、イライラし、気持ちが不安定になります（気滞　瘀血《おけつ》）。


たとえあなたが、やる気を出そうと思っても、自信をもとうとしても、穏やかでいようとしても、血流の状態が悪いと、体があなたの心を負の感情へと引きずり下ろし

てしまうのです。

現代の医学では、人間の心が実際にどこにあるかはわかってはいません。ただ、心は空中をふわふわと浮かんでいるわけではなく、体とともにあります。心の入れ物である体の状態が悪ければ、心がいくらがんばろうとしても悪い方向へと引っ張られてしまいます。

体の心への影響を甘くみてはいけません。たとえば生理前は、血流が悪い「気滞瘀血」の状態になります。イライラし、気持ちが不安定になるのです。女性の犯罪の六二％はこの時期に起きているという調査報告があるほどです。

体の状態が悪いとき、気づかないうちに体が心を束縛してしまっています。

恋する気持ちさえ、体によってつくられてしまいます。一九七四年にカナダの心理学者ダットンとアロンによって行われた有名な吊《つ》り橋実験をご存じかもしれません。十八～三十五歳までの二百人の独身男性を集め、渓谷にかかる高さ五〇ｍの揺れる吊り橋と揺れない橋の二か所で行われました。男性にはそれぞれ橋を渡ってもらいますが、橋の中央で同じ若い女性が突然アンケートを求めます。その際に電話番号を教えると、吊り橋で実験を行った男性からはほとんど電話があったのに、揺れない橋を渡った男性からの電話は一割ほどしかありませんでした。揺れる吊り橋での緊張感・ドキドキが恋愛感情に発展しやすいという結果になったのです。

これは「吊り橋理論」と呼ばれます。

単に恋愛テクニックをつくり出したわけではありません。生理的な体の状態が、心理的な認知に影響するということを証明した実験なのです。

口角を上げて笑顔をつくってみましょう。

ちょっと楽しい気持ちになりませんか？

これはジェームズ・ランゲ説と呼ばれている理論で、身体変化の認知が情動を生むという説です。「生理的な変化↓感情体験」という順序、つまり「体↓心」の順で感情が形成されるととらえられています。

他にも、シャクター・シンガー理論では、生理的な変化があると、その変化がどういった状況によって発生しているか認識することで感情が異なってくるとしています。

現代の心理学では、体の生理的な変化が先にあり、それが心の変化に結びついているということがはっきりしてきているのです。
脳は視覚、聴覚、触覚、味覚、嗅覚《きゅうかく》の五感を通じて外部の情報を取り入れています。脳に情報を取り入れるのは、すべて体を通じて行われているのです。五感というフィルターの状態が悪ければ、脳、そして心に届く情報も悪くなってしまうのは当然です。

考えてみてください。脳、胃腸、心臓、手足、口……わたしたちの体をつくっているのは全身の六十兆個の細胞です。その一つずつを結びつけ、生命活動を支えているのは血流です。その血流の状態がどんな状態かによって、心に与える影響もそれぞれ異なること。それを漢方は古い時代から経験的に分類してきたのです。

体が生み出す生理的な変化こそ、感情に影響を与えています。
血流が悪くなれば、マイナスの感情を生み出します。
血流をよくすれば、プラスの感情を生み出します。
あなたの心を体の束縛から自由にしてあげましょう。

本当の自分を見つけるために、まず血流をよくする

もちろん人間の心は非常に複雑です。

単純に体の生理的な変化だけですべてが決まるわけではありません。

ぼくは、血流をよくして体を整えるということは、ノイズを取り除くことにも似ていると思っています。

うるさい大型道路の横で考えごとをするよりも、静かな湖畔で美しい自然を眺めながら考えごとをしたくありませんか？

血流が悪いことで、小さな細胞一つひとつが出すノイズ、それを取り除いてあげること。**血流をよくして体を整えるということは、心にとって穏やかで静かな環境をつくり出してあげることと同じことです。**

やる気がなくて決めたことが続かない。

不安で自信がなくて、いつもひとの顔色をうかがってしまう。

怒りたくないし、ひとにもやさしくしたいのに、イライラしていやなひとになってしまう。

それは、本当のあなたではありません。
血流が悪くて、体がノイズだらけだから、心が反応してそうなってしまっただけなのです。

もしも、あなたが、自信をもちたい。穏やかでいたい。前向きでいたい。「こうなりたい」「こうありたい」と、今とは違う自分を望んでいるのなら、それは単なる夢や願望ではありません。それが本来のあなたの心です。
単に、体にあふれたノイズのせいで、生理的な信号をとらえ間違えたせいで、心が本来の状況とは違う形に一時的に変化しているだけなのです。

自分を変え、自分を高めるためにセミナーに参加する。本を読んでみる。講座を受けてみる。そういった努力をしたことがあるかもしれません。そういった心のトレーニングをしても、なかなかうまくいかなかったとしたら、それはあなたが悪いわけではなく、努力が足りなかったわけでもなく、単に準備ができていなかっただけです。

そのときの血流はよい状態でしたか？
万全の体調でしたか？

ヨガの行者や座禅をする高僧の方でも、まず体調から整えて、次に内面を見つめる心の作業に入ります。
体がノイズであふれていれば、体から生まれるマイナスの感情のせいでうまくいかないのは、無理もありません。心のトレーニングをするときは、まず血流をよくしておくことを忘れないでください。

体のノイズを取り除けば、心はあるべき形へと戻っていくのです。
血流をよくすれば、本当の自分が自然と見つかります。

「常識」や「普通」に振り回されない

これまでにたくさんの相談を受けてきました。その中で近年もっとも増えているのが子宝相談です。赤ちゃんを授かるということは、子孫を残すという人間の本能に直接つながることだからでしょう。悩みが非常に深いものの一つです。

まわりのひとがあたりまえのように結婚し、子どもを産んでいく、そして、自分もそれを「普通」だと思っていたからこそ、手に入らなかったときの苦しみがあります。

取り残されたような、追い越されたような気持ちになります。

そのうえ、忘れようとしても生理で毎月結果をつきつけられる。

ダメだ、ダメだ、ダメだ。

そんなふうに感じて、女性として失格の烙印《らくいん》を押されたような気がして落ち込んで、自分を否定してしまうひとも少なくありません。

子どもをもつことに挑戦し、チャレンジしても授からない。望みが叶《かな》わないとき、ひとはさまざまな感情に襲われます。そして、その気持ちをうまくコントロールできずに、さまざまな感情に押し流されていきます。

怒り、悲しみ、嫉妬《しっと》、恨み、あきらめ。夫婦の関係が悪くなっていったり、今まで仲のよかった母親や姉妹とうまくいかなくなったり、友人との会話がつらくなったり、気持ちの中で抑え込んできた過去が噴き出したり……。治療を始めれば、休みをとることで職場でももめたり、気を使ったり、金銭的にも、肉体的にも、精神的にも追い込まれていきます。

「赤ちゃんが授からない」ということだけではなく、ありとあらゆる問題が一気に襲ってくる。相談をお受けする中で、そのひと、そのひとの人生への向き合い方を問われるように感じています。

社会的に「普通」「常識」と思われることができないときに、ひとはとても苦しみます。自分自身は何も変わっていないのに、社会の中心から押しやられたようで、とても孤独になります。

独身で「普通」に結婚できないとき。
不妊で「普通」の子どもがいる生活が手に入らないとき。
離婚で「普通」の家庭像と違ってしまったとき。
病気で「普通」の生活が送れなくなったとき。
でも、考えてみてください。
「普通」って何でしょう？
誰が決めたのでしょう？

実はそのことを「普通」だと受け入れているのは自分自身です。そう決めているのは、自分自身です。まるで自分自身で檻《おり》をつくって、その中に入ってしまっているようなものです。

さまざまな大きな問題に向き合うときだからこそ、そのひとの心の状況がよくわかります。血を増やしてもらっているからこそ、血流の変化と同時に、心の状況も変わっていくのがぼくにはよくわかります。

あんなにつらそうにしていたひとが、あんなに悲しんでいたひとが、悩みを受け入れ、手放し、一つひとつ解放していく。自分でつくっていた普通という檻から自由になる。

心の問題のはずなのに、血流の状態が変わり、体がよくなったことで、変化していく。たとえ「出来事」そのものが変わらなくても、とらえ方が変化し、心が楽になっていきます。そしてこれは、不妊という悩みに限らず、すべての悩みに共通します。

常識や普通に振り回されず、悩みを自分自身で受け止め、受け入れ解決していく。血流を増やし、よくするということは、あなた自身を支える力になるのです。

血流とは、幸せをもたらす力である

人生の目標って何でしょう？

ひとそれぞれ、いろいろな意見はあると思いますが、たくさんの相談を受けてきて感じます。やっぱりそれは「幸せでいること」なのだと。

誰しも温かい、幸せな気持ちでいたいのだと強く感じます。

現代科学が進歩するたびに、それまでいわれていたことが一八〇度変わったりすることもあります。安全といわれていたものが安全でないとされる。あるいは、これまで積極的にすすめられていたものが、危険なものとして扱われる。ワクチンや殺虫剤、原発や食品添加物など、これまでとガラッと評価が変わるものは数えきれないほどあります。

医学や栄養学の教科書ですら書き換えられることが少なくありません。十年前にいわれた内容と一変してしまうこともあります。それは、実際のところ人間の心も体もほとんどわかっていないからです。本当はわからないことを一生懸命に解明しようとしている最中だからです。

漢方の理論は変わりません。それは、長い年月をかけた古くからの、多くの人々の経験と知恵の蓄積であるからなのでしょう。とても人間的な感覚に近い理論だと感じます。

ぼくはそんな漢方の知識を使ってどんな相談のときでも、常に血流の状態をみてきました。血流しかみてないといってもいいくらいです。そして多くの方の悩みが解決し、笑顔になるのを見て強く感じるのは、血流こそが心と体の両方の問題を解決する力をもっているということです。

血流とは幸せをもたらす力にほかなりません。

あなたが悩みや問題を抱えているのなら、一歩一歩、血流をよくしていくことが大きな力になっていきます。

体が整い、心が整い、そして夢や目標が実現していく。何よりもあなた自身が幸せになることを心から願っています。

おわりに

ぼくは出雲《いずも》大社の表参道である神門通りで生まれ育ちました。神域までは徒歩数分。地元では単に「お宮」というと出雲大社を意味します。お宮は子どもの遊び場で、あたりまえのように身近に存在する場所でした。

大人になってふと気がつくと、婦人科系のトラブルで悩む女性の相談を多く受けていました。なかでももっとも多いのが子宝の相談です。お母さんと赤ちゃんのご縁を結ぶ。そんな仕事を縁結びの神様のおひざ元でしているというのは、なんだかとても不思議なことのように感じます。

出雲大社教祖霊社の葬儀に参列した際にいただいた挨拶状に次のような件《くだり》がありました。

「出雲人は遠き昔から『人は霊止（ヒト）なり』と申して、妊娠したことを『フ（ヒ–霊）がト（止）マラッシャッタ』と感謝して喜びます。神霊が宿られて新しい生命が誕生した有難さを表すのでした」

ひとが生まれてから死ぬそのときまで、心と体は分けることのできない一つのものです。心の揺れは体に影響し、体の揺れは心に影響する。

「身心一如」という言葉がありますが、古来、日本人にとってはごくごく自然で、あたりまえのこととして受け入れられてきたことのように思います。

漢方を学べば学ぶほど、多くの方の相談を受ければ受けるほど、いっそうその思いは深まっていきました。ひとの心に表れる悩みの多くも、体の調子によって軽くなったり、重くなったりしてしまいます。逆に、心のとらえ方で体のトラブルも大きくなったり、小さくなったりするのです。

薬剤師として体の専門家であるぼくは、常に体の面から心を見つめてきました。そして女性にとって血が、体に対してはもちろん、心にとっても決定的に重要な役割を果たしていることを痛切に感じています。

今でこそ全国からたくさんのひとが相談に来てくださるようになりましたが、ぼくが薬局を継いだ経緯はとんでもないものでした、当時、堀江薬局は大赤字、会社を清算しようにも家と土地が借り入れの担保に入っていたので、会社をつぶしたくてもつぶせない状況で、ほとんど強制的に後を継ぐことになったのです。初めて決算書を見たときに目の前が真っ暗になったことを今でもはっきりと覚えています。

そのころのぼくにあったのは、いかに売り上げをあげるか。それのみです。借金や支払いの恐怖で何度も夜中に目が覚めました。ずっとお金のことだけを考えて仕事をしていたようなものです。

あらゆる手をつくして売り上げを回復し、新規出店をして会社を大きくすることで何とか経営が軌道に乗ったときでした。友人が相談に来たのです。

「堀江くん、漢方やってるんでしょう？　わたし病院で、赤ちゃんができにくいって言われたんだよね。何とかならないかな……」

そこで、漢方を選んで、体質改善のアドバイスをしました。一生懸命続けてくれた一年後、彼女は妊娠しました。ぼくが漢方を出して、赤ちゃんに恵まれた最初のひとでした。

ぼくとしてもとてもうれしく、体験談を書いてとお願いしました。そしてぼくはそれが届いたときにびっくりするのです。数行くらいのものだと思って開いたところ、A4の紙にいっぱいのメッセージがあったのです。自分がどんなに不安でつらかったか、妊娠したことがどれほどうれしかったか、そして今、家族三人で暮らしていて本当に幸せだということが綴《つづ》られていました。

ぼくはそのとき、思いました。ああ、こんな仕事ができるんだなぁ、と。ずっと売り上げ、お金に追われて仕事をしてきたけれど、こんなふうにひとに喜ばれる仕事ができるということが、とても、とてもうれしかったのです。子宝相談をしよう、婦人科相談をしよう。そう決めたきっかけでした。

そして、しだいにお客様が増えていきました。最初はぽつぽつだったのが、口コミや紹介で増えていき、気がつくと会社全体で相談数が五万件を超えていたのです。

相談が増えるにつれて、体だけでは解決できないことも見えてきます。心と体のどちらもが大切なことに気づいたのです。

そして、だんだんと悩みの向こう側に隠れている本当の悩みが見えてくるようになりました。誰しも、病気や症状だけに苦しんでいるのではありません。病気や症状のある自分と「世間の普通」とのギャップに苦しんでいるのです。

誤解を恐れずにいうと、ぼくは相談を受けていて、とても楽しいと思っています。みんなそれぞれに思い込みや、固定観念の檻《おり》に入っていることが多いのですが、そんな檻や思い込みが外れていくのが楽しいのです。

正直なことをいうと、ぼくはたぶんカウンセラーとしてはそんなに優秀ではないと思っています。でも、体の専門家として血をつくり、増やし、流すことを通じて、体から心に働きかけることができるからこそ、実力以上の力を発揮できている気がします。

体調がだんだんとよくなって、自分に自信がついてきて、表情がしだいに明るくなっていく。発する言葉も前向きに変わっていく。心の悩みを、体をすこやかにすることで解決していく。そんなことが起きるのも、血流を増やすことが根底にあるからです。それがぼくの力の源です。

友人が妊娠したときに、相談に来てくださった方の中で、一年で百人のひとが妊娠したらいいなと思いました。十年たったとき、初めて年間百人を超えました。翌年は百五十人になりました。

累計で千人が見えてきて、欲張りなぼくはもっと大きな夢が見たくなりました。ふと降りてきた数字は、「一万人」でした。

「一万人の夢を叶《かな》える」その向こうにはもっともっとたくさんの笑顔が広がっています。まとめてしまうと単なる数字になってしまいますが、その一人ひとりにストーリーがあって、一つひとつに笑顔があります。そう思うと、楽しくて、楽しくてしかたがありません。

そんなことを考えていたとき、出版が決まりました。

本当に不思議なご縁です。

つぶれそうな薬局を前に途方に暮れていたぼくが、たくさんのひとの笑顔のお手伝いができるようになったり、本を出したりすることになるとは想像だにしていませんでした。

自分自身の思ってもみなかった変化はもちろん、何よりも今までたくさんのひとたちが、いろいろな障害を乗り越えて、病気を改善したり、なりたい自分を実現したり、赤ちゃんを授かったりする姿を見てきたからこそ、心の底から願っている夢や目標は必ず実現するとぼくは信じています。

だから、あなたの悩みも解決するし、夢も実現すると信じています。

だからこそ、血流を増やし、改善して体を整えてみてください。そして、体や心の悩みを解決していってください。

あなたにもぜひ、体を整えることで心を整え、夢や目標を叶えてほしいのです。

きっと、この本を手に取っていただいたのも一つのご縁です。

この本が、あなたの夢や目標が実現する一つの力になりますように。何よりもあなた自身が幸せで笑顔でありますように、心から願っています。

あなたの夢が叶って、みんなの夢も叶って、一万人の夢が叶ったら、とてもとても楽しいなぁと思うのです。

そして、この本を読まれたあなたから、幸せな報告をいただけることを楽しみにして結びとしたいと思います。

著者

❖主要参考文献（順不同）

『図解入門よくわかる病理学の基本としくみ』田村浩一著　秀和システム
『あなたを守る子宮内膜症の本』日本子宮内膜症協会著　コモンズ
『血液6000キロの旅　ワンダーランドとしての人体』坂井建雄著　講談社
『脳画像で探る「うつ」と「不安」の癒し方』ダニエル・エイメン　リサ・ラウス著　花風社
『食べ物はこうして血となり肉となる　ちょっと意外な体の中の食物動態』中西貴之著　技術評論社
『呼吸の極意　心身を整える絶妙なしくみ』永田晟著　講談社
『8時間睡眠のウソ。日本人の眠り、8つの新常識』三島和夫　川端裕人著　日経BP社
『図解・感覚器の進化　原始動物からヒトへ水中から陸上へ』岩堀修明著　講談社
『たんぱく質入門　どう作られ、どうはたらくのか』武村政春著　講談社
『ヨガの喜び　心も体も、健康になる、美しくなる』沖正弘著　光文社
『ワンス・ア・マンス　月経前症候群（PMS）』キャサリーナ・ダルトン著　時空出版
『デカルトの誤り　情動、理性、人間の脳』アントニオ・R・ダマシオ著　筑摩書房
『リンパの科学　第二の体液循環系のふしぎ』加藤征治著　講談社
『考える血管　細胞の相互作用から見た新しい血管像』児玉龍彦　浜窪隆雄著　講談社
『卵子老化の真実』河合蘭著　文藝春秋

『「きれい」への断食セラピー』大沢剛著　講談社
『図解・内臓の進化　形と機能に刻まれた激動の歴史』岩堀修明著　講談社
『月経と犯罪　女性犯罪論の真偽を問う』田中ひかる著　批評社
『無意識の脳　自己意識の脳　身体と情動と感情の神秘』アントニオ・R・ダマシオ著　講談社
『感じる脳　情動と感情の脳科学　よみがえるスピノザ』アントニオ・R・ダマシオ著　ダイヤモンド社
『月経の研究　女性発達心理学の立場から』川瀬良美著　川島書店
『解剖生理をおもしろく学ぶ』増田敦子監修　医学芸術新社
『不妊治療ガイダンス　第3版』荒木重雄　浜崎京子編著　医学書院
『体外受精ガイダンス　第2版』荒木重雄　福田貴美子編著　医学書院
『プリンシプル産科婦人科学　1　婦人科編　第3版』武谷雄二　上妻志郎　藤井知行　大須賀穣監修　メジカルビュー社
『症例から学ぶ中医婦人科　名医・朱小南の経験』朱小南著　東洋学術出版社
『レジデントのための血液診療の鉄則』岡田定編著　樋口敬和　森慎一郎著　医学書院
『中医内科学』中国国家中医薬管理局中医師資格認証センター編著　たにぐち書店
『中医学の基礎　日中共同編集』平馬直樹　兵頭明　路京華　劉公望監修　東洋学術出版社
『鉄剤の適正使用による貧血治療指針　改訂［第2版］』日本鉄バイオサイエンス学会治療指針作成委員会編　響文社

堀江昭佳（ほりえ・あきよし）

漢方薬剤師／不妊カウンセラー／有限会社堀江薬局代表／一般社団法人日本漢方薬膳協会　代表理事
1974年生まれ、出雲市出身。出雲大社参道で90年続く老舗漢方薬局の4代目。

薬学部を卒業後、薬剤師となったのち対症療法中心の西洋医学とは違う、東洋医学・漢方の根本療法に魅力を感じ、方向転換する。本場中国の漢方医から学ぶ中、不妊に悩む友人の相談を受けたところ、漢方で妊娠したことに感動し、婦人科系の分野、なかでも不妊症を専門とするようになる。

体の不調の解消だけではなく、本人の抱えている常識や執着といった束縛からの「心の解放」を終着点としている唯一の漢方薬剤師。

血流を中心にすえた西洋医学、漢方医学、心理学の3つの視点からの総合的なアプローチは評判を呼び、自身の薬局で扱ってきた不妊、うつ、ダイエット、自律神経失調症など心と体の悩みは5万件を超える。地元島根はもとより全国、海外からも相談があり1か月先まで予約がいっぱいの状態が続いている。

不妊相談では9割が病院での不妊治療がうまくいかず、来局されるケースであるものの、寄せられる妊娠報告は2015年だけでも155名、2009年以降の累計は614名に上る。

また、日本漢方薬膳協会の代表理事にも就任し、広く漢方薬膳の知識を広め、より多くの女性に幸せと笑顔を届けるために奮闘中。

- 不妊漢方.com　http://www.funin-kanpo.com
- 一般社団法人日本漢方薬膳協会　http://kanpo-yakuzen.org

血流がすべて解決する

2016年3月20日　初版発行
2016年6月30日　第15刷発行

著　者　堀江昭佳
発行人　植木宣隆
発行所　株式会社 サンマーク出版
東京都新宿区高田馬場 2-16-11
(電)03-5272-3166

印刷・製本　中央精版印刷株式会社

ISBN978-4-7631-3536-0　C0036
ホームページ　http://www.sunmark.co.jp
携帯サイト　http://www.sunmark.jp